Patrick Mioulane,

diplômé de l'école d'horticulture de la ville de Paris (école du Breuil), est journaliste spécialisé et photographe depuis plus de 40 ans dans le domaine de la nature et du jardin. Auteur de plus de 120 ouvrages, il rédige aussi la rubrique « Jardin » de nombreux magazines. Chaque samedi (de 6 à 8 h 00) depuis 2001, il est MiouMiou, l'expert jardinier de l'émission « Votre jardin » sur RMC.

Potager

Christine Recht

Sous la direction
de Patrick Mioulane

hachette
JARDIN

Sommaire

Avant-propos

Jardiner tout en respectant l'environnement signifie bénéficier d'une alimentation saine. Dans notre monde pollué, il convient de préserver au moins son propre potager, ainsi que le permettent les méthodes sûres de la culture biologique. Si vous les utilisez à bon escient, vous pourrez récolter des légumes de qualité, sans renoncer à des récoltes abondantes, même sur une surface réduite.

Les photographies illustrant cet ouvrage vous montrent que de tels jardins ne sont pas nécessairement négligés et qu'il est possible de disposer de manière harmonieuse légumes, fleurs et fines herbes.

Les auteurs, spécialistes du jardinage et du potager, vous donnent des indications précises et simples, qui vous permettent de jardiner efficacement en pratiquant la rotation des sols et les cultures mixtes.

Des méthodes naturelles éprouvées vous sont également proposées pour combattre les insectes nuisibles, ce qui vous évitera de recourir aux produits antiparasitaires classiques.

Un calendrier très pratique des plantations vous indique au premier coup d'œil les dates de semis des espèces de légumes les plus appréciées.

Les débuts sont décisifs

Si vous souhaitez déguster vos propres légumes tout au long de l'été, il faut tout prévoir soigneusement: la préparation du sol à l'automne et au printemps, la disposition et la rotation des cultures, ainsi que le choix des variétés. La connaissance des besoins des plantes permet de faire de chaque arpent de terre un potager fertile.

Quelle est la surface utile ?

L'approvisionnement complet d'une famille de quatre personnes requiert un potager de 100 m² au minimum. Mais il est impossible d'établir une règle qui détermine la taille requise, les légumes à planter et leur quantité, car tout dépend des goûts de la famille, des possibilités de stockage et des conditions climatiques de votre région.

De nombreux jardiniers amateurs ne plantent plus les légumes courants, proposés sur le marché à des prix tout à fait abordables et de bonne qualité. Ils cultivent des légumes moins banals comme les pois, les asperges, le brocoli, etc.

L'organisation, c'est la réussite assurée.

Un microclimat favorable

La plupart des légumes consommés aujourd'hui ne sont pas des plantes indigènes. Ils furent introduits à partir du XVIIe siècle de contrées tropicales et subtropicales et des régions méditerranéennes lors des grands voyages d'exploration. Ces espèces ont besoin de chaleur et n'apprécient ni le vent ni les fortes pluies. Avec quelques astuces, il est possible d'améliorer les conditions environnementales dans l'entourage immédiat des plantes, c'est-à-dire de créer un microclimat.

QUELQUES BONNES IDÉES

☛ ENTOUREZ LE POTAGER d'une haie épaisse (avec des d'arbustes à baies comestibles ou décoratifs) ou d'un treillage fin, pour protéger les planches de légumes des vents violents.

☛ PLANTEZ SUR LE POURTOUR des planches des haies de buis, des fines herbes ou des fleurs d'été.

☛ PLANTEZ SOUS ABRI les légumes qui demandent beaucoup de chaleur. Films de paillage, tunnel et cloche en plastique, châssis maraîcher créent un microclimat protégé, avec une différence de 5 °C par rapport à l'extérieur.

☛ PLANTEZ CONCOMBRES, tomates, poivrons sur d'épais lits de mulch, qui produira de la chaleur en se décomposant (technique des couches).

☛ LES PLANTES QUI DEMANDENT BEAUCOUP DE CHALEUR, comme les poivrons et les aubergines, doivent être plantées sous serre, à moins que vous n'habitiez une région au climat doux.

SEPT RÈGLES POUR UNE ABONDANCE DE LÉGUMES

1. Les légumes ont besoin d'au moins 6 h d'ensoleillement quotidien. Réservez la partie la plus ensoleillée du jardin pour le potager.
2. Nombre de légumes réclament de la chaleur. Procurez-leur un microclimat favorable.
3. Divisez votre potager en planches régulières (page 10).
4. Établissez un programme détaillé de semis. Prévoyez la rotation du sol et les cultures mixtes (page 12).
5. Faites analyser le sol et amendez-le correctement avec des fertilisants organiques (page 13).
6. Utilisez de l'engrais et des amendements biologiques pour la régénération du sol et l'enrichissement en humus (page 14).
7. À l'automne et au printemps, préparez bien le sol pour les semis et les plantations (page 15).

La préparation du sol

Il est pratique de diviser le potager en planches. Afin que les plantes puissent bénéficier d'un ensoleillement optimal, il convient d'orienter les planches du nord vers le sud.

DIMENSIONS D'UNE PLANCHE

La longueur dépend de la taille du jardin, de votre programme de production et de la disposition des allées principales. Une largeur de 1 m est pratique, car elle permet de travailler facilement la planche des deux côtés jusqu'à son milieu, en laissant la possibilité d'y planter plusieurs sortes de légumes en culture mixte. C'est aussi la largeur standard des tunnels. Les sentiers entre les planches doivent mesurer au moins 30 cm de large.

TECHNIQUES PARTICULIÈRES

En plus des planches classiques, il existe le système de rigolage, les buttes et les levées de terre où le sol est surélevé (ados). Certes plus difficiles à créer, ces dernières présentent des avantages décisifs en créant des conditions climatiques tout à fait favorables.

Les rigoles de plantation

Le sol est ameubli sur deux profondeurs de pioche et 15 cm de large, provoquant le développement des racines en profondeur et non en largeur. Il est ainsi possible de planter les légumes plus serrés que sur une planche traditionnelle.

VOICI COMMENT PROCÉDER :

☞ SUR UNE PLANCHE CLASSIQUE, creusez une tranchée de 15 cm de large et de la profondeur d'une pioche.

☞ PLACEZ DANS UNE BROUETTE la terre prélevée.

☞ AMEUBLISSEZ LE FOND DE LA TRANCHÉE aussi profondément que possible, avec une fourche bêche.

☞ CREUSEZ LA RIGOLE suivante, parallèle à la précédente, à 60 cm de distance.

☞ REMPLISSEZ LA PREMIÈRE RIGOLE avec la terre prélevée dans la seconde et ainsi de suite, ce qui permet une aération.

☞ REMPLISSEZ LA DERNIÈRE RIGOLE avec la terre qui se trouve dans la brouette. On appelle cette technique « rigolage ».

La butte ou billon

Constituée par la superposition en forme de dôme de matières organiques à différents stades de décomposition (les plus fraîches et les plus ligneuses au fond), couvertes d'un mélange de terre fertile et de terreau, la butte offre une surface de culture supérieure à la planche.

Elle est aussi plus fertile car à l'intérieur se produit une décomposition semblable à celle du tas de compost, ce qui génère de la chaleur. En revanche, la butte sèche vite et doit être régulièrement arrosée.

La longueur des buttes n'est pas limitée, une largeur de 1,4 m est idéale.

VOICI COMMENT PROCÉDER :

☞ SUR LA LARGEUR DU BILLON (1,40 M), décapez le sol sur 25 cm de profondeur et sur la longueur souhaitée.

☞ DÉPOSEZ LA TERRE sur les côtés.

☞ COUVREZ LA PARTIE MISE À NUE avec un feutre géotextile.

☛ DÉPOSEZ AU FOND UN BROYAT de matières organiques fraîches (branches, tiges, fumier), sur 40 cm d'épaisseur.

☛ COUVREZ avec 15 cm de tontes de gazon non décomposées.

☛ AJOUTEZ 25 cm de feuilles mortes humides, puis 15 cm de compost à demi-décomposé et enfin un mélange à parts égales de terreau avec la terre extraite au début de l'opération.

☛ TRACEZ un sillon au sommet de la butte afin que l'eau ne ruisselle pas.

☛ CONSEIL : la première année, ne plantez sur la butte que des légumes exigeants, car la décomposition libère de nombreuses matières nutritives.

La planche surélevée

Comme le billon, elle est peut être constituée de couches de différentes matières, mais elles sont disposées à plat. Retenus par une bordure élégante et solide, les matériaux restent bien en place, permettant une utilisation de la planche durant au moins deux saisons. On peut y réaliser des cultures hâtées, car le sol y est vite chaud et contient beaucoup d'éléments nutritifs.

VOICI COMMENT PROCÉDER :

☛ Creusez une tranchée de 30 cm de profondeur, de 1,30 m de large et de la longueur désirée.

La culture des légumes en planche surélevée est plus esthétique et plus pratique.

Construisez tout autour, à l'aide de rondins et de pieux, ou de traverses de chemin de fer, un caisson solide d'une hauteur de 50 à 90 cm.
 Protégez le sol des taupes en le recouvrant d'un fin grillage plastifié.
 Remplissez en superposant différentes matières comme pour la butte.
 À la suite de la décomposition, le niveau va baisser. Complétez alors en ajoutant un bon terreau par-dessus.

Établir un calendrier

Il est nécessaire de prévoir à l'avance ce que vous allez cultiver, car, dans un potager, il faut utiliser au mieux la superficie le plus souvent réduite.

La culture mixte consiste à planter diverses sortes de légumes ensemble sur une même planche. Le plus astucieux consiste à ce que le maximum de planches soient sans cesse occupées du printemps à l'hiver.

Attention, les légumes plantés ensemble ou en alternance sur une planche doivent être compatibles. Vous pourrez alors passer au travail du sol et à la fertilisation selon les plantes choisies.

Culture mixte

C'est une technique qui permet de cultiver plusieurs sortes de légumes, dans la même planche. La culture mixte joue un rôle important dans le jardinage naturel, car elle présente plusieurs avantages.

 Économie de place.
 Certaines substances sécrétées par les racines sont utiles aux plantes voisines s'il s'agit d'espèces compatibles.
 Le mélange d'espèces crée un leurre olfactif auprès des insectes ravageurs, d'où une meilleure protection naturelle des cultures.

La répartition des cultures

Certains légumes occupent le terrain durant plusieurs mois. Ce sont les cultures principales : tomates, courgettes, concombres, choux, céleri, épinards. D'autres (radis, salades) nécessitent à peine quelques semaines pour parvenir à maturité. Ils peuvent donc être plantés en décalage (avant ou après) par rapport à la culture principale.

LA CULTURE PRIMAIRE

Elle est mise en place au printemps avant une culture principale : salade, radis, chou-rave conviennent bien.

LES CULTURES INTERMÉDIAIRES

Ce sont les légumes qui peuvent être plantés en même temps qu'une culture principale, mais qui demandent moins de temps pour parvenir à maturité (carotte, radis, tétragone).

LA CULTURE SECONDAIRE

Elle est semée ou plantée seulement à la fin de l'été ou en automne, après que la culture principale a été récoltée : mâche et oignons de mai.

La rotation des cultures

La rotation désigne l'alternance annuelle de plusieurs légumes sur une planche. À part quelques rares exceptions, telles les tomates, vous ne devez jamais planter la même espèce deux années (ou deux fois) de suite sur le même carré. Tenez bien compte des deux observations suivantes.

De nombreux insectes nuisibles s'intéressent à une plante particulière. Si différentes cultures se succèdent, ces ravageurs vont manquer de nourriture et disparaître. Il ne sera pas utile de traiter outre mesure.

Certaines plantes ne prospèrent pas toutes seules (les oignons, la betterave rouge par exemple) parce qu'elles supportent mal les sécrétions de leurs propres racines.

L'engrais vert vitalise le sol

Pour améliorer la qualité du sol, l'aérer et l'enrichir, la culture de diverses légumineuses ou plantes fourragères, appelées engrais verts (tableau page 14) est préconisée. Leurs racines profondes aèrent le sol et stimulent durablement son activité. Elles absorbent les éléments nutritifs dans les couches profondes, ce qui profitera aux plantes qui seront semées par la suite.

La phacélie (bleue) est un engrais vert qui cohabite bien avec les annuelles.

Le travail du sol

Lorsque vous avez établi votre calendrier des semis et des plantations, il faut passer à la préparation du sol. Les légumes viennent bien, sont riches en vitamines et savoureux seulement s'ils trouvent dans le sol une bonne proportion d'éléments nutritifs.

LE TRAVAIL DU SOL À L'AUTOMNE

Un sol bien travaillé à l'automne promet des récoltes abondantes les années suivantes. Commencez dès la fin de l'été, quand les planches sont vides.

VOICI COMMENT PROCÉDER :

☛ SUR LES PLANCHES DESTINÉES AUX LÉGUMES exigeants (autres que les choux), déposez une couche de 5 cm de fumier frais. Ce dernier ne doit être utilisé qu'à l'automne, pour éviter tout risque de développement pathogène. Si vous n'avez pas de fumier, utilisez un fertilisant organique du commerce à base de fumiers et d'algues.

☛ AMEUBLISSEZ LE SOL tout en éliminant les mauvaises herbes. Enfoncez la bêche dans le sol à des intervalles de 10 cm et faites-lui effectuer un mouvement de va-et-vient.

☛ CHAULEZ LA PLANCHE ameublie avec du lithothamne (une algue calcaire) si le sol est acide (pH compris entre 6 et 7) ou avec un amendement calcaire si le pH est inférieur à 6.

☛ LAISSEZ FAIRE LA NATURE et ne cassez pas les mottes qui seront brisées naturellement sous l'action du gel.

REMARQUE

Pour la rotation des cultures, divisez les légumes selon leurs besoins en éléments nutritifs : légumes exigeants, moyennement exigeants, peu exigeants, et plantez-les en alternance.

LES DIFFÉRENTES ESPÈCES D'ENGRAIS VERT QUI ONT FAIT LEURS PREUVES

Nom	Effet	Remarques
Phacélie	Active la fermentation du sol	Peu exigeant, apprécié des abeilles
Moutarde	Gêne les mauvaises herbes, assainit le sol, éloigne les escargots	Ne pas l'utiliser sur des sols où ont été cultivés des conifères !
Trèfle Incarnat	Ameublit le sol en profondeur et l'enrichit en azote	Résiste au froid. C'est une légumineuse qui fixe l'azote atmosphérique dans le sol
Radis, rave	Aère les sols lourds	Culture très facile et peu exigeante
Souci	Combat les nématodes	Attention, plante envahissante !
Pois fourrager	Apport d'azote	Développement foisonnant et rapide
Colza	Racines profondes, aère le sol	Résiste bien au gel, jusqu'à -15 °C

LE TRAVAIL DU SOL AU PRINTEMPS

En hiver, le sol se repose car les cultures (même celles qui restent en place) n'y puisent pratiquement rien sous le mulch protecteur. L'action mécanique du gel ou des importants écarts de température caractéristiques de la saison hivernale provoque un ameublissement naturel. Le sol devient plus friable. La microfaune du sol peut s'y multiplier à loisir et compléter le travail naturel d'amélioration du sol.

Fin février, début mars, lorsque les températures remontent dans la journée, c'est le moment de procéder à trois opérations importantes :

☛ **AMEUBLISSEZ LE CARRÉ** superficiellement, car une couche fine et friable est importante pour les semis. Utilisez la bêche, la griffe, le croc.

☛ **SUR LES PLANCHES** qui n'ont pas reçu de fumier à l'automne, déposez une mince couche de compost tamisé (un seau par mètre carré). Procédez entre trois et quatre semaines avant de semer ou de planter. Faites pénétrer légèrement le produit avec le râteau, afin qu'il se trouve bien en contact avec la couche supérieure du sol.

Si vous utilisez un fertilisant organique du commerce, pour plus d'économie déposez-le seulement dans les sillons ou les trous de plantation. Vous pouvez aussi ajouter un engrais organique du commerce, que vous éparpillerez à la dose préconisée par le fabricant et que vous ferez pénétrer avec un râteau.

Certains jardiniers effectuent un présemis au tout début du printemps (épinards ou moutarde, par exemple). Ces plantes sont coupées ou arrachées avant la préparation des planches. Elles restent sur le sol sous forme de mulch qui se décompose lentement, assurant une protection des sols légers contre les fortes pluies printanières qui peuvent le raviner, mais le laissant relativement humide, même par temps sec.

Autres travaux

Avant la plantation, prévoyez les tuteurs pour les légumes volubiles (pois et haricots à rames, concombres, tomates, etc.). Vous devez les installer avant de planter ou de semer, afin de vous faciliter le travail et de ne pas endommager les racines.

Les petits pois grimpent bien sur des branchages ou un grillage. Il suffit de ficher

La préparation du sol du potager au printemps se fait de façon superficielle.

en terre des branches ramifiées (fagots) d'environ 2 m de haut de part et d'autre de la planche prévue pour la culture. Vous pouvez aussi tendre un filet à ramer sur des pieux distants de 1 à 1,50 m. Si vous inclinez légèrement les supports vers l'extérieur de la planche, ils n'en seront que plus solide.

Pour les haricots grimpants, plantez les rames obliquement vers le centre de la planche afin de former une sorte de tente constituant une armature solide. Les tuteurs doivent mesurer environ 3 m de haut.

☛ **POUR FORMER UN TIPI**, plantez 4 ou 5 tuteurs et attachez-les à leur sommet par un fil métallique.

☛ **POUR UNE DISPOSITION EN FORME DE TOIT**, plantez les tuteurs pour qu'ils forment un triangle, posez horizontalement un bâton au point de jonction et fixez fermement l'ensemble.

☛ **TOMATES, POIVRONS ET AUBERGINES** sont tuteurés verticalement, les tiges attachées avec du raphia.

☛ **LES CONCOMBRES CULTIVÉS EN PLEIN CHAMP** sont laissés sur le sol, mais ils prennent moins de place lorsqu'on les fait grimper verticalement. Pour cela, enfoncez dans le sol d'épais tuteurs distants de 1 m, soutenus sur le côté par des pieux inclinés. Fixez un grillage en plastique sur les supports verticaux. Les concombres monteront à cet échafaudage. Il faudra attacher les pousses.

Émiettez bien la terre au printemps.

Épandez un bon engrais organique.

La disposition du potager

Il n'y a pas de règle établie en matière de tracé d'un jardin potager ; toutefois, certaines indications devraient vous faciliter la tâche.

☛ LE POTAGER DOIT ÊTRE FACILE D'ACCÈS et situé non loin de la maison. Tracez une allée directe, large et dallée depuis la maison. Ainsi vous pourrez aisément cueillir des légumes frais pour la cuisine à tout moment.

☛ LES ESPACES DE CULTURE RECTANGULAIRES sont préférables, parce qu'ils sont plus aisés à diviser.

☛ PRÉVOYEZ UN EMPLACEMENT PROTÉGÉ DU VENT pour le tas de compost qui doit offrir un accès facile.

☛ POUR LES OUTILS DE JARDINAGE, un abri de jardin dans un angle du potager est une solution esthétique et pratique.

Le tracé

Vous pouvez simplifier la disposition du potager et le travail du sol en divisant la surface en quatre planches : pour les légumes exigeants, moyennement exigeants, peu exigeants et pour les cultures permanentes (la rhubarbe, les artichauts, les asperges). Les cultures permanentes restent en place sur la même planche durant plusieurs années. En revanche, les autres cultures changent de planche chaque année. La première année,

Ligaturez les tiges sans les serrer.

La délimitation de planches rectangulaires favorise la bonne répartition des légumes.

cultivez des légumes exigeants, l'année suivante des légumes moyennement exigeants, puis des légumes peu exigeants et reprenez ensuite le cycle. Cette alternance annuelle préserve le sol et demande peu de travail. Même un jardinier débutant peut la pratiquer. Certes, ce schéma est assez figé et il faut l'adapter. Vous pouvez effectuer la rotation suivante : ANNÉE 1 : engrais verts. ANNÉE 2 : légumes graines (pois, fève, haricot à écosser). ANNÉE 3 : légumes feuilles (salades, choux, épinard, poireau). ANNÉE 4 : légumes racines (carotte, radis, betterave, oignon, échalote). ANNÉE 5 : pomme de terre. ANNÉE 6 : légumes fruits (tomate, poivron, aubergine, cucurbitacées).

La fertilisation

Plus un légume pousse avec vigueur et plus il a besoin d'éléments nutritifs, particulièrement d'azote. Le chou, par exemple, absorbe plus de nutriments que la laitue. Selon leurs besoins, les légumes sont considérés comme : exigeants, moyennement exigeants, ou peu exigeants, comme les légumineuses (haricot, pois), qui fixent sur leurs racines l'azote de l'air. Avant de planter des légumes exigeants, épandez de l'engrais.

Pour une culture de printemps, enrichissez le sol à l'automne avec du fumier décomposé. Sinon, incorporez de l'engrais organique 3 à 4 semaines avant de planter.

Pour les choux, préférez l'engrais classique, parce que le fumier altère leur qualité gustative. Les légumes moyennement exigeants se contentent d'un apport de compost, à raison d'un seau par mètre carré. Enfouissez le produit avec un râteau.

Les légumes peu exigeants demandent des sols sains, humifères, cultivés depuis longtemps et pas d'apport d'engrais systématique. Dans les sols légers et sableux, et les terrains lourds, l'activité microbiologique étant ralentie, il faut, avant de planter, épandre de l'engrais complet assez riche en phosphore, de la farine de poisson par exemple.

Le plan de culture

Que vous plantiez dans un potager récent ou cultivé depuis plusieurs années, la démarche est identique.

1RE ÉTAPE : dessinez un plan de l'ensemble de votre potager et tracez-y les planches de culture souhaitées.

2E ÉTAPE : choisissez les légumes en fonction de vos goûts et des quantités souhaitées. Ne vous limitez pas seulement aux légumes frais en été. Il est intéressant de prévoir des provisions pour l'hiver. Mais tenez compte du temps de travail nécessaire !

3E ÉTAPE : déterminez les cultures principales. Ce sont celles que vous devez planter les premières, car elles vont occuper les planches pendant un temps assez long. Répartissez ensuite les légumes d'après leurs besoins sur les planches destinées aux légumes exigeants, moyennement exigeants, peu exigeants.

4ᵉ ÉTAPE : déterminez les cultures primaires et secondaires. Pour chacune d'entre elles vous devez tenir compte de la plante qui la précède et vérifier qu'elles s'accordent entre elles. Par exemple, il ne faut pas planter successivement sur le même carré deux espèces de crucifères (chou et navet ou brocoli et radis). Avant le chou, on peut planter de la salade, mais pas de radis. Le principe est le même pour les cultures secondaires.

LES BESOINS EN ÉLÉMENTS NUTRITIFS DES DIVERS LÉGUMES

 Légumes exigeants	 Légumes moyennement exigeants	 Légumes peu exigeants
tomate, courgette, potiron, concombre, cornichon, poivron, maïs doux, endive, bette, chou frisé, épinard, chou blanc, chou-fleur, brocoli, chou de Bruxelles, chou vert, poireau, céleri-rave, céleri branche, panais	aubergine, pois chiche, chicorée frisée, laitue pommée, laitue à couper, mâche, épinard, chicorée sauvage, chou-rave, ail, oignon, radis, carotte, betterave rouge, fenouil bulbeux, salsifis, raifort pomme de terre	haricot, haricot d'Espagne, pois mange-tout, petit pois, radis primeur, de nombreuses fines herbes

PATRICK MIOULANE
VOUS CONSEILLE

> Dans les régions froides aux étés courts, ne plantez que les variétés de légumes les plus rustiques ou celles qui poussent le plus vite (variétés à forcer).

> La technique de la culture en carrés est idéale pour optimiser la surface de terrain disponible pour les légumes. Vous divisez 1 m² en neuf carrés égaux de 33 cm de côté que vous utilisez comme unité de culture. Chacun peut contenir une salade ou une vingtaine de carottes ou de radis.

> Établissez votre calendrier de culture par écrit et reportez-y tout au long de l'année les résultats des combinaisons choisies. Ce calendrier vous servira de référence pour celui de l'année suivante. Alternez aussi légumes feuilles et racines.

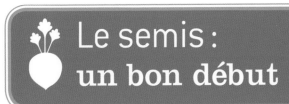
Vous avez établi votre calendrier, les planches sont prêtes, le sol a été travaillé. Vous pouvez maintenant semer et planter. Mais ne soyez pas trop impatient : attendez le printemps, car de nombreux légumes craignent le froid et le gel. Afin que tous vos légumes prennent un bon départ, tenez compte de nos conseils et recommandations.

À la différence des arbres fruitiers, qui produisent durant des décennies, la plupart des légumes sont annuels ou bisannuels. Les cultures permanentes, comme les asperges, le raifort, l'oseille, l'artichaut, le thym, le laurier, le romarin, la ciboulette et la rhubarbe, constituent une exception.

Des graines, oui… mais

Les jardineries proposent un rayon graines bien achalandé toute l'année. Mais avant d'acheter vérifiez le mode de culture qui figure au dos du sachet. Beaucoup de légumes exigent une longue préparation. Si vous ne possédez pas de serre ou de véranda, il va falloir transformer en zone de culture un rebord de fenêtre dans la maison. Si vous débutez, mieux vaut acheter : brocoli, chou-fleur, chicorées frisée et scarole, tomate, aubergine, poivron, piment, basilic, céleri à côte, sous forme de plants.

Une toute jeune pousse de haricot.

Les diverses semences

Nombre de magasins très divers proposent des graines au jardinier amateur. Vous avez le choix entre plusieurs qualités et diverses présentations.

☞ **LES SEMENCES COURANTES** sont conformes aux normes européennes, ainsi que l'indique leur label sur l'emballage. Les variétés classiques appartiennent à cette catégorie.

☞ **LES SEMENCES DE QUALITÉ SUPÉRIEURE** concernent les variétés très performantes, les obtentions nouvelles ou certains hybrides. Elles sont plus chères, mais très qualitatives.

☞ **LES SEMENCES CALIBRÉES,** toutes de la même taille, dont le développement est particulière-ment régulier, sont généralement réservées aux professionnels. Leur prix est assez élevé.

☞ **LES SEMENCES ENROBÉES,** enveloppées dans une coque d'argile contenant souvent un produit phytosanitaire et un engrais, constituent le nec plus ultra en la matière. L'enrobage se dissout dans le sol et favorise la germination. Cette présentation permet de contrôler l'espacement lors du semis, ce qui évite d'avoir à éclaircir ensuite les plants trop serrés, d'où finalement une économie non négligeable.

☞ **LES SEMENCES EN RUBAN SONT PRATIQUES,** car les graines sont déjà disposées selon un écartement idéal pour leur bon développement.

Un châssis est un accessoire parfait pour produire de jeunes plants.
Il convient également à la culture des espèces fragiles.

La qualité des semences

☛ LES GRAINES ne doivent pas être trop vieilles. La plupart gardent de 2 à 4 ans leur faculté germinative, les salsifis constituent une exception, avec un an seulement. La date de péremption est indiquée sur les sachets.

☛ LES EMBALLAGES, souvent hermétiques, protègent de la lumière, de la chaleur et de l'humidité. Ainsi, les graines conservent plus longtemps leur capacité germinative qu'en vrac.

☛ LES SEMENCES sont traitées contre les parasites. La quantité de produit chimique est infime, et même un jardinier bio peut les employer. Il existe aussi des graines « bio ».

Le choix des variétés

Les légumes se déclinent en d'innombrables variétés, dont les caractéristiques, indiquées sur les sachets de graines, varient au niveau de l'époque de culture, de l'usage, de la qualité gustative, du rendement, etc. Afin de bien choisir, tenez compte des critères suivants.

DATE DE SEMIS

Les variétés se déclinent en précoces, normales et tardives, correspondant à des périodes de semis différentes. C'est très important pour les plantes de jour long comme les épinards, les laitues et les radis, qui fleurissent vite si l'éclairage est trop important. Pour l'été, il faut choisir des variétés spécifiques bien adaptées.

DURÉE DE GERMINATION

Elle varie selon la précocité des variétés et il faut en tenir compte lors du semis. Dans les régions au climat rude, les variétés précoces, au temps de germination court, conviennent bien. Pour la majorité des légumes, le temps de levée est de 6 à 8 jours. Les plus rapides sont les radis et les chicorées frisées et scarole qui lèvent en 3 ou 4 jours. Le persil est le plus paresseux avec 20 à 22 jours.

LA BONNE TENUE AU GEL

Si les légumes passent l'hiver à l'extérieur, comme les poireaux, les oignons, les choux, optez pour une variété qui résiste au gel.

LA RÉSISTANCE AUX MALADIES

Une des qualités premières des variétés nouvelles est la résistance à de nombreuses maladies. Elles sont recommandées au jardin d'amateur.

LA QUALITÉ INTRINSÈQUE

La taille, la couleur et le goût des légumes dépendent beaucoup de la variété. Vos propres expériences vous le prouveront. Notez que, contrairement à une idée reçue, les vieilles variétés sont rarement les meilleures. Melon et haricots entre autres en font la preuve d'une façon flagrante.

LA DURÉE DE CONSERVATION

Toutes les variétés de carottes ne peuvent être stockées en hiver dans du sable, toutes les variétés de haricots verts ne supportent pas la congélation. Vérifiez-le lors de l'achat, ces précisions figurent sur le sachet. En général, les variétés tardives des légumes racines ou à tubercules (carottes, betteraves, pommes de terre), ainsi que les choux se conservent bien.

PLEINE TERRE OU SOUS ABRI ?

Une des particularités variétales des légumes est leur adaptation à un mode de culture. La plupart des variétés pour amateurs se cultivent à l'extérieur en pleine terre. En revanche, toutes celles dont l'étiquette précise « à forcer » réussissent plutôt mieux sous abri.

LES HYBRIDES

De nombreuses variétés nouvelles sont des hybrides qui proviennent du croisement de plantes sélectionnées. Les hybrides F1 (première génération) sont des semences d'une qualité exceptionnelle, mais elles ne peuvent être multipliées par l'amateur.

La multiplication en serre

De nombreux légumes craignent le froid et possèdent une durée de germination trop longue pour permettre une culture complète à l'extérieur depuis le semis. Par exemple, les tomates semées directement en place dans le jardin en mai ne donnent rien de valable. Il faut semer plus tôt dans une miniserre placée sur le bord de la fenêtre ou dans un châssis chauffé.

SEMER SOUS ABRI

Remplissez d'un terreau pour semis un châssis ou des barquettes, lissez et tassez. Dispersez les graines sans qu'elles forment des amas. Recouvrez-les avec du terreau finement tamisé (excepté le céleri et l'endive qui germent à la lumière) et arrosez en vaporisant pour ne pas bouleverser la surface. Attention : les semences de poivron, de courge, de courgette, de melon doivent être placées par trois dans un petit godet de tourbe.

REPIQUER SOUS ABRI

Après la levée, attendez que la deuxième feuille se soit formée. Remplissez des pots ou une grande terrine d'un mélange 2/3 de terreau et 1/3 de sable. Soulevez précautionneusement la plantule à l'aide d'une fourchette ou d'un transplantoir miniature. Raccourcissez légèrement l'extrémité des racines, afin qu'elles se ramifient davantage. Faites un trou avec un crayon et placez-y délicatement la plantule, tassez du bout des doigts et arrosez. Maintenez une humidité constante, mais sans excès.

1

2

3

4

5

6

LA MULTIPLICATION EN SERRE

1. *Remplissez le châssis de terreau fin.*
2. *Tassez le terreau avec une batte.*
3. *Éparpillez les graines à la volée.*
4. *Tamisez du terreau sur les graines.*
5. *Étiquetez et arrosez en vaporisant*
6. *Fermez le châssis jusqu'à la levée.*

Les conditions de la réussite

Le semis des légumes frileux réussit idéalement dans une miniserre chauffée à 20/22 °C, disposée dans une pièce claire ou une véranda. Dans ces conditions, la germination est rapide et homogène, avec des plantules qui se développent bien.

➤ **UN REBORD DE FENÊTRE** constitue le meilleur emplacement dans la maison pour tenter les semis de légumes. Mais attention au manque de lumière qui entraîne la formation de plants chétifs et qui poussent tout en longueur. On dit qu'ils « s'étiolent ». Dans les pièces non chauffées la nuit ou aérées, l'échec est prévisible, parce que la température n'est pas régulière. Si la fenêtre est exposée en plein soleil, les jeunes pousses risquent de griller. Dans les pièces très chaudes, l'air se dessèche vite et il faut sans cesse vérifier l'humidité du sol, d'où une attention de chaque instant.

➤ **DANS UN CHÂSSIS OU UN TUNNEL** placé à l'extérieur, les semis peuvent être réalisés à partir de février. Il faut remplacer la terre d'origine par un bon terreau fin et poreux qui offre l'avantage de se réchauffer assez vite. Une différence de température de 5 °C environ est constatée entre l'intérieur du châssis et l'extérieur, soyez prudent.

Repiquer à l'extérieur

Selon la sensibilité au froid des différents légumes, il est possible de repiquer à l'extérieur entre mars et mai. Vous trouverez des indications précises pour chaque espèces dans les fiches des pages 58 à 91.

Si vous n'avez pas produit de plants vous-même, vous pouvez en acquérir dans les jardineries, à l'exception notable des légumes racines (carotte, radis, navet) qui ne se repiquent pas.

LORS DE L'ACHAT, VÉRIFIEZ...

Les jeunes pousses doivent être trapues et présenter des feuilles solides, bien colorées, bien formées et des racines bien développées. Il ne doit pas y avoir de feuilles jaunes ou de taches suspectes.

Les racines doivent être blanches.

Les jeunes pousses doivent être compactes, surtout pas étiolées. La repousse serait alors plus difficile !

ENDURCIR AVANT DE REPIQUER

Les plants proposés dans les jardineries sortent de serre et il serait malvenu (surtout pour les achats avant mai) de les installer directement en pleine terre dans le potager. Placez les pots ou les caissettes sous châssis, à mi-ombre, durant une semaine environ avant le repiquage et aérez-les généreusement durant la journée. Les plantes ont ainsi le temps de s'acclimater. Ceci vaut également pour vos propres plants produits sous abri.

CONSEILS POUR LE REPIQUAGE

➤ **REPIQUEZ LES PLANTS LE SOIR** ou par temps couvert. Ils pousseront d'autant mieux qu'ils n'auront pas été exposés directement au soleil.

➤ **PLANTEZ LES LÉGUMES** à la profondeur qui leur convient, les salades superficiellement, les tomates, les aubergines et les poivrons profondément.

➤ **ARROSEZ LES JEUNES PLANTS AU PIED** avec le goulot de l'arrosoir et non en douche avec la pomme.

Semer en place

Les légumes racines (carotte, salsifis, radis, betterave rouge, navet, célerirave) et les légumes à croissance rapide (pois, haricot, épinard, mâche) sont semés directement en pleine terre, en ligne et en place. Lorsque vous semez, tenez compte des points suivants.

LA TEMPÉRATURE DU SOL

Dans les terres froides, la semence pourrit au lieu de germer. Respectez les dates préconisées sur les sachets pour les semis en pleine terre.

L'HUMIDITÉ DU SOL

Dans un terrain sec, les semences ne germent pas ou meurent par dessiccation. Arrosez régulièrement et en douceur les planches que vous venez d'ensemencer, avec la pomme de l'arrosoir. Intervenez deux fois par jour par temps sec et chaud ou dans un sol léger et sableux. Facilitez-vous la tâche en étendant sur la planche des films de paillage en plastique ou des voiles de forçage. Ils maintiendront le sol humide bien plus longtemps, en filtrant le rayonnement solaire, ce qui limitera l'évaporation naturelle.

LA COUCHE SUPERFICIELLE DU SOL

Veillez à ce qu'elle soit meuble et friable. Les jeunes pousses ont du mal à percer la croûte durcie d'un sol trop consistant ou superficiellement sec.

LA PROFONDEUR DU SEMIS

Elle est parfois indiquée sur les sachets de graines. Conformez-vous bien à ces indications. La règle générale est de recouvrir la semence de une à deux fois son épaisseur avec un terreau finement tamisé.

Menthe et thym ne sont pas du tout enterrés. Endive (chicorée Witloof), céleris, laitues, mâche, marjolaine, oignon, oseille, poireau, sarriette, tomate ayant une graine fine ont besoin de lumière : ils ne seront recouverts que par une couche de sable de 0,5 cm.

Sur les sols lourds, qui se réchauffent lentement, la profondeur de semis est plus réduite que dans les sols légers et chauds. Les semences enrobées ne doivent jamais être placées à plus de 1 cm de profondeur.

Attendez avril pour le semis en place.

L'ÉCARTEMENT DES LIGNES

Il dépend de l'encombrement des légumes à leur maturité (pages 58 et suivantes). Si l'espace est insuffisant, les légumes poussent mal et risquent de souffrir de maladies, parce qu'ils ne parviennent pas à sécher après la pluie. Lorsque vous pratiquez la culture associée, prévoyez toujours un écartement plus important.

LA DATE DU SEMIS

La plupart des légumes doivent être semés à une date précise. Vous trouverez les indications correspondantes sur les sachets de graines. Il est conseillé de ne pas semer certaines espèces (carottes, poireaux et fèves, par exemple) au moment où les ennemis spécifiques de ces plantes pondent. Les semis très précoces ou très tardifs sont généralement mieux protégés des attaques parasitaires.

Pour les récoltes précoces

La plupart des légumes ne viennent bien que sous un climat chaud ; aussi les jardiniers des régions plus froides ont-ils développé diverses astuces pour offrir aux légumes un milieu chaud et protégé qui permet de semer et de récolter plus tôt.

LE TUNNEL PLASTIQUE

Il constitue une véritable serre miniature de faible volume, idéale pour la culture des légumes. Un film transparent est tendu sur des arceaux le long d'une planche, les bords latéraux étant enterrés et les extrémités nouées. En raison de l'effet de serre, il se crée un microclimat chaud et humide. Par temps ensoleillé, on écarte les extrémités afin d'aérer.

LA HOUSSE VERTICALE

Conçue pour les tomates, elle consiste en un film plastique noué sur un piquet et qui recouvre les plantes.

LE TOIT DE PLASTIQUE

Cette protection à construire vous-même convient aux légumes à fruits : tomate, poivron, aubergine, concombre. Enfoncez quatre pieux dans le sol, reliez-les par des lattes à l'extrémité et tendez dessus une feuille de plastique transparent. Vous pouvez aussi utiliser un coffre en bois maintenant une vitre en polycarbonate. Dans ce cas, il faut planter les pieux aux quatre coins. Vous pouvez agrafer verticalement une feuille de plastique sur la face exposée au nord.

IMPORTANT

Ôtez les films plastique dès que les légumes ont poussé et au plus tard 3 semaines avant la récolte. Attention, les légumes cultivés sous plastique accumulent davantage de nitrates.

LA BÂCHE DE PROTECTION

Un simple film plastique transparent est posé sur les cultures en cas de gel. Ce dernier forme dessus une mince couche de glace qui produit une isolation thermique, maintenant les cultures à 0 °C.

Retirez ce film protecteur avant que les feuilles ne le touchent, car elles pourraient pourrir. Si la feuille de plastique a été transpercée par les plantes ne l'ôtez pas, car vous abîmeriez le végétal. Contentez-vous d'enterrez les bords afin que le vent ne provoque pas de tension inutile.

Semer en pleine terre

Vous pouvez semer en pleine terre les légumes rustiques, à croissance rapide, dès que les planches sont prêtes. Vous avez plusieurs possibilités.

SEMIS EN LIGNES (OU RAYONS)

Les légumes racines, les salades et les légumes feuilles sont semés en lignes. Veillez à respecter le bon écartement entre chaque rang.

☛ TENDEZ UN CORDEAU afin que les lignes soient bien droites.

☛ TRACEZ UN SILLON DE 2 À 3 CM DE PROFONDEUR, le long du cordeau, avec la serfouette ou le manche du râteau.

☛ DISPERSEZ LES GRAINES DANS LE SILLON sans qu'elles soient trop serrées.

☛ RECOUVREZ LES SEMENCES DE TERRE avec le dos du râteau et tassez légèrement (c'est le plombage).

☛ ARROSEZ avec la pomme d'arrosoir.

SEMIS EN PLEINE TERRE

1. *Tendez solidement un cordeau.*
2. *Déposez les graines dans le sillon.*
3. *Couvrez les graines avec le râteau.*

SEMIS À LA VOLÉE

Utilisé pour les épinards, la mâche, les condimentaires et l'engrais vert.

👉 **ÉPARPILLEZ LES GRAINES** aussi régulièrement que possible sur le sol.

👉 **ENFOUISSEZ-LES** en passant superficiellement le râteau dans le sens de la longueur, puis de la largeur, et arrosez copieusement en pluie fine.

SEMIS EN POQUETS

Cette méthode est utilisée pour les petits pois et les haricots.

👉 **GROUPEZ DE 3 À 5 GRAINES** et disposez chaque tas à l'écartement requis.

👉 **ENTERREZ LES POQUETS,** plombez avec le dos du râteau et arrosez.

1

Éclaircir

Si les jeunes légumes poussent de manière trop serrée, il faut éclaircir.

👉 **DÈS QUE LES PLANTS ATTEIGNENT 5 CM,** supprimez ceux qui sont en surnombre pour obtenir l'écartement optimal. Conservez les plus vigoureux.

👉 **APRÈS AVOIR ÉCLAIRCI, ARROSEZ,** afin de combler les espaces vides.

👉 **POUR LA BETTERAVE ROUGE, LA BETTE POIRÉE, LE FENOUIL,** repiquez dans une autre planche les plants arrachés.

2

LE REPIQUAGE

1. *Arrachez le plant à repiquer.*
2. *Coupez le feuillage de moitié.*
3. *Repiquez les salades peu profond.*

3

Repiquer

Le repiquage se pratique avec nombre de légumes (choux, salades, poireaux, etc.) pour que se forment des plantes plus vigoureuses.

☛ CREUSEZ UN TROU avec le plantoir, plus profond et plus large que la motte ou les racines du plant.

☛ DÉPOSEZ UNE POIGNÉE DE COMPOST ou une cuillerée à soupe d'engrais organique au fond du trou.

☛ INSTALLEZ LE PLANT VERTICALEMENT dans le trou, vérifiez la profondeur.

☛ VEILLEZ À CE QUE LES RACINES SOIENT ÉTALÉES OU DROITES. Elles ne doivent être ni pliées, ni comprimées.

☛ REMPLISSEZ LE TROU avec de la terre légère ou un bon terreau.

☛ TASSEZ BIEN avec les deux mains.

☛ ARROSEZ GÉNÉREUSEMENT, afin d'obstruer les espaces qui se sont formés entre la terre remuée et les racines.

La bonne profondeur

Respectez les particularités et exigences propres à chaque plante.

☛ LE CHOU-RAVE DOIT ÊTRE PLANTÉ de façon que le collet ne soit pas recouvert par la terre. Les espèces à croissance en rosette (laitue, céleri) sont repiquées « flottant », c'est-à-dire en enterrant le plant au niveau du collet, le point de jonction entre les feuilles et les racines.

☛ UNE PLANTATION TROP PROFONDE entraîne la pourriture du cœur.

☛ LES LÉGUMES EXIGEANTS : tomate, poivron, aubergine, poireau, chou-fleur, chou rouge, chou blanc, chou frisé, etc. préfèrent un repiquage profond, la base de la tige enterrée entre 1 et 3 cm dans le sol.

☛ L'IMPORTANT EST DE BIEN TASSER LE SOL autour des racines sans les abîmer.

Repiquer les oignons

Les oignons peuvent être semés, mais il est plus simple d'acheter des jeunes plants au printemps. Ces petits oignons mûriront avant l'été. Plantez bien droit, en enterrant la base de la tige à 2 ou 3 cm de profondeur. Tassez, puis arrosez.

Les pommes de terre

L'idéal consiste à acheter du plant certifié, prégermé. Il faut renouveler les semences tous les ans pour ne pas transmettre les maladies à virus.

☛ SEGMENTEZ VOTRE ACHAT en trois variétés : pomme de terre primeur, pomme de terre à chair ferme et pomme de terre à purée.

☛ SI VOUS AVEZ ACHETÉ DU PLANT NON GERMÉ, stockez-le en clayettes dans une pièce claire et peu chauffée.

☛ APRÈS 2 À 4 SEMAINES, des germes longs de 2 à 3 cm se seront formés.

☛ LORSQUE LA TEMPÉRATURE DU SOL ATTEINT 10 °C, plantez les pommes de terre, germes vers le haut, à 10 cm de profondeur et tous les 30 à 40 cm.

☛ ESPACEZ LES RANGS de 40 à 50 cm.

PATRICK MIOULANE
VOUS CONSEILLE

> **Il est prudent d'effectuer un essai de germination** si vous utilisez des semences stockées depuis longtemps. Placez quelques graines sur un buvard que vous maintenez humide dans un endroit chaud. Lorsque les graines germent, comptez celles qui ont germé et celles qui sont restées inertes. Si le pourcentage de levée est inférieur à 50 %, vous ne devez pas employer ces semences. Notez bien la date de péremption portée sur les sachets, c'est une mention obligatoire.

> **Pour l'aneth, le cardon, le céleri, la ciboulette, l'oignon, le persil, le piment, le pissenlit, le poireau, la poirée, le salsifis,** qui nécessitent plus de 10 jours avant de germer, effectuez des semis fractionnés, entre 2 et 4 semaines d'intervalle, afin de pouvoir échelonner les récoltes sur une plus longue période. Ce conseil vaut aussi pour les salades.

> **Semez ensemble des légumes à germination longue,** les carottes par exemple, et des légumes à germination rapide comme les radis. Ces derniers germent en 3 ou 4 jours, les carottes en 6-8 jours, d'où une possibilité de bien occuper le terrain. Les radis qui seront récoltés après 3 à 5 semaines laisseront le temps aux carottes de se développer.

Quelques conseils d'entretien

Les graines ont levé, les jeunes plants ont grandi et tout se présente bien. Toutefois, un entretien régulier est nécessaire afin que la production de légumes soit optimale. Mulcher, biner, arroser, fertiliser, désherber, soigner font partie du quotidien au potager.

Le paillis : très utile

Dans la nature, le sol est presque toujours couvert d'une végétation spontanée qui le protège du dessèchement et de l'érosion. Un sol nu perd vite sa structure friable. Avec la

Le paillis permanent est appelé mulch.

chaleur il sèche, par temps de pluie il devient boueux. Au potager, le paillis permanent ou « mulch » remplace la protection naturelle de la flore sauvage.

SEPT RAISONS DE PAILLER

☞ SOUS LA COUCHE DE MULCH, le sol conserve un bon niveau de température, et la vie du sol est favorisée.

☞ LE PAILLIS ASSURE UNE BONNE PROTECTION contre l'évaporation naturelle.

☞ LE PAILLIS FORME UNE VÉRITABLE COUVERTURE ORGANIQUE qui joue un rôle de régulateur thermique.

☞ PAR TEMPS DE PLUIE, LE SOL N'EST PAS RAVINÉ et il ne devient pas bourbeux.

LE PAILLIS

1. *Les tontes de gazon font un bon paillis.*
2. *La paille convient bien aux tomates.*
3. *Une couche de coques de cacao.*
4. *Un binage vaut deux arrosages, dit-on.*

☞ **LORS DE LA CANICULE, LE SOL SÈCHE MOINS,** il ne se forme pas de croûte.

☞ **LA COUCHE DE MULCH NOURRIT LES VERS** de terre et les micro-organismes.

☞ **LE MULCH GÊNE LA GERMINATION** et la croissance des mauvaises herbes.

QUELQUES INCONVÉNIENTS

☞ **SOUS UNE COUCHE DE MULCH** les ennemis des cultures trouvent un abri propice, notamment les limaces, les campagnols et les champignons.

☞ **LES SOLS LOURDS SE RÉCHAUFFENT PLUS LENTE-MENT** sous un lit de mulch.

AVEC QUOI PAILLER ?

La paille n'est pas seule à pouvoir être utilisée pour un paillis. Presque tous les matériaux organiques frais ou secs conviennent : le gazon coupé, les mauvaises herbes sarclées (dans la mesure où elles ne portent pas de graine), les feuilles de chou ou de rhubarbe, les orties, les feuilles mortes, les engrais verts nouvellement fauchés, du compost frais.

Pour le potager, le mulch à base d'écorce ou d'aiguille de pins, trop acide, ne convient pas. En revanche, vous pouvez utiliser avec succès la paillette de lin ou de chanvre et les coques de cacao, produit couramment proposés dans le commerce.

LA MÉTHODE

☞ **PAILLEZ DÈS QUE LES JEUNES LÉGUMES** ont atteint de 10 à 15 cm de haut.

☞ **ARROSEZ LE SOL ET AMEUBLISSEZ-LE** par un griffage avant de pailler.

☞ **ÉTALEZ LE MULCH,** sur une épaisseur de 3 à 5 cm autour des plantes et sur toute la planche.

☞ **SEULE LA PAILLE PEUT ÊTRE DÉPOSÉE** en couche plus épaisse.

☞ **ATTENDEZ UNE BONNE JOURNÉE** que les tontes de gazon sèchent avant de les utiliser comme paillis.

☞ **DURANT LA PÉRIODE DE CROISSANCE** la couche de mulch doit être éparse. Si elle est trop épaisse, elle s'agglutine, se compacte et le sol ne reçoit plus assez d'oxygène. Les micro-organismes aérobies ne peuvent plus effectuer leur travail d'humification, l'humidité stagne et des maladies cryptogamiques peuvent survenir.

Biner

Si vous n'adoptez pas la technique du paillis, binez régulièrement le sol afin de l'aérer et de le décroûter superficiellement. L'oxygène dont les micro-organismes ont besoin pour leur activité pénètre ainsi dans le sol et le gaz carbonique qu'ils fabriquent peut s'éliminer. Le binage détruit les fins réseaux capillaires de surface qui ont tendance à favoriser l'évaporation. Et rappelez-vous l'adage : « un binage vaut deux arrosages » ou « qui bine beaucoup arrose peu ». Autre avantage : le binage conjugue dans la même action le sarclage, c'est-à-dire l'élimination des mauvaises herbes.

LA MÉTHODE

☞ **DANS UN SOL SAIN ET FRIABLE** passez rapidement la griffe à trois dents, ce qui est bien moins pénible que d'utiliser une binette.

● **BINEZ APRÈS CHAQUE VIOLENTE PLUIE D'ORAGE,** en ayant pris soin de laisser sécher le sol au préalable.

● **AUTOUR DES NOUVELLES PLANTATIONS,** binez superficiellement, afin de ne pas endommager les racines.

Désherber

Pailler et biner (sarcler) sont déjà très efficaces contre les mauvaises herbes. Tant que ces dernières restent petites et peu nombreuses, elles ne sont guère redoutables. La présence de plantes sauvages est même nécessaire à certains insectes utiles, qui dans un jardin bio contribuent à réguler les parasites.

En revanche, dès que la végétation spontanée abonde, elle nuit à la récolte. Il faut donc désherber.

La technique la plus simple est le sarclage qui consiste à trancher les mauvaises herbes au niveau du collet avec le fer d'une binette.

Bien qu'il existe une gamme large de désherbants sélectifs pour le potager, mieux vaut s'en passer dans un esprit de jardinage naturel.

LA MÉTHODE

● **SARCLEZ LES MAUVAISES HERBES JEUNES,** avant qu'elles ne portent des graines et ne puissent se multiplier.

● **NE JETEZ PAS SUR LE TAS DE COMPOST** des mauvaises herbes porteuses de graines ou même de fleurs.

● **LES MAUVAISES HERBES À RACINES TRAÇANTES,** comme le chiendent et le liseron, forment des stolons, ce qui les rend particulièrement difficiles à enlever. Chaque fragment de racine peut former une nouvelle plante. Il faut donc enlever soigneusement tous les débris de racines et les laisser sécher sur un sol dallé. Ne les mettez surtout pas à composter.

Arroser modérément

L'eau est un élément vital pour les plantes, car il s'agit de leur constituant majeur (85 % pour les salades par exemple) et elles ne peuvent absorber les éléments nutritifs du sol que sous forme soluble. Pour être savoureux et tendres, les légumes réclament beaucoup d'eau. Les pluies étant rarement suffisantes, les quantités à apporter au cours de l'arrosage dépendent des éléments suivants.

LES BESOINS EN EAU DES LÉGUMES

Ils varient selon les espèces. Tomate, courgette et concombre exigent beaucoup d'eau. Chou pommé, oignon, pomme de terre, panais réclament assez peu d'arrosage.

LA NATURE DU SOL

Les sols légers et sableux sèchent plus vite que les sols argileux. Sur un sol léger il est nécessaire d'arroser les légumes plus souvent, mais en plus faible quantité pour éviter les pertes.

LA PROTECTION DU SOL

Sur un sol paillé, l'humidité s'évapore moins que s'il est dénudé, exposé au soleil et au vent.

Une terre nue demande davantage d'arrosage.

☛ **AU PRINTEMPS** la terre est gorgée d'humidité et le soleil n'est pas vigoureux. Arrosez peu, mais n'oubliez pas les légumes nouvellement plantés.

☛ **L'ÉTÉ**, les légumes ont grand besoin d'eau, car il sont en pleine période de croissance. La chaleur estivale séchant le sol jusque dans ses couches profondes, il faut arroser quotidiennement, dès que la température a dépassé 25 °C dans la journée.

☛ **EN AUTOMNE**, les cultures tardives comme le chou de Bruxelles ou le chou pommé croissent encore et nécessitent parfois un apport d'eau. Même si les nuits sont plus fraîches et les jours moins chauds, le sol a besoin d'un complément d'eau dès qu'il ne pleut pas durant une semaine environ.

Cinq règles pour l'arrosage

1. ARROSEZ LE MATIN avant que le soleil ne brille trop (10 h au plus tard).

☛ La terre humide reste fraîche plus longtemps, les légumes résistent mieux aux assauts du soleil.

☛ Un arrosage le soir provoque de grandes différences de températures qui peuvent être mal supportées par les légumes (surtout les jeunes).

☛ Les attaques de limaces et d'escargots sont plus faciles à contenir. En effet, les gastéropodes sont surtout actifs la nuit, et d'autant plus que le sol et les légumes sont humides.

2. ARROSEZ ABONDAMMENT car un arrosage parcimonieux n'humidifie le sol qu'en surface.

Dans le potager, l'arrosage est plutôt distribué par aspersion en fin de journée.

Il sèche aussitôt, sans que les racines aient pu absorber l'eau. L'idéal est d'humidifier le sol sur la profondeur occupée par les racines.

3. **VÉRIFIEZ L'HUMIDITÉ DU SOL** avec le plantoir. Si aucune particule de terre n'adhère dessus, il faut arroser. Même après une bonne pluie, l'eau peut manquer en profondeur. Inversement, le sol peut disposer encore de réserves d'eau, même si la couche superficielle a séché.

4. **OBSERVEZ LES LÉGUMES,** et ne vous fiez pas à leur aspect extérieur. Les légumes à feuilles épaisses, comme la rhubarbe, la poirée, le chou ne fanent pas aussi vite que les salades en cas de sécheresse. Toutefois, ils cessent de pousser s'ils manquent d'eau.

5. **PRÉFÉREZ L'EAU DE PLUIE** à celle du robinet dont le chlore est peu apprécié par de nombreux légumes. Collectez l'eau de pluie très simplement dans des réservoirs branchés sur le collecteur des gouttières.

Après une pluie, attendez au moins une demi-journée, le temps que les poussières lessivées sur le toit soient tombées au fond du réservoir. N'utilisez que de l'eau propre.

Durant les périodes de sécheresse, les réservoirs d'eau de pluie sont rapidement vides. Emplissez-les alors avec l'eau du robinet, que vous laisserez reposer 24 h, le temps que le chlore précipite et que l'eau tiédisse un peu. Vous pouvez corriger le pH d'une eau très calcaire en faisant tremper dans le réservoir un sac en tissu de 40 x 40 cm rempli de tourbe blonde. Très acide, elle adoucit l'eau.

La fertilisation

Au cours de la préparation du sol à l'automne et au printemps, le jardinier incorpore des matières organiques. Les micro-organismes du sol les transforment lentement en substances minérales solubles, les seules assimilables par les plantes.

Au cours de leur croissance les légumes puisent l'azote, le phosphore, le potassium et les oligo-éléments selon leurs besoins. Un complément de nourriture sous forme d'engrais est nécessaire durant la croissance des légumes exigeants, car la densité de la plantation et l'utilisation permanente du potager pour la culture épuise le sol. Ceci explique aussi toute l'utilité des engrais verts.

Les engrais organiques

Souvent appelés « engrais bio », ils sont fabriqués uniquement à partir de matières animales ou végétales. Ces engrais offrent l'avantage d'être assimilés lentement par la plante, ce qui évite tout risque de brûlure. Ils se combinent bien à l'humus du sol et participent à sa fertilité à long terme. Les risques de surdosage sont infimes.

Les engrais organiques présentent l'inconvénient d'être peu efficaces dans les sols pauvres en micro-organismes et d'agir faiblement par temps froid.

Contrairement à une idée reçue, la pollution des nappes phréatiques par les nitrates n'est pas due aux seuls engrais de synthèse, mais surtout à une surutilisation d'engrais

organiques (les lisiers de porc notamment).
Il est donc indispensable de bien respecter les
doses d'emploi.

LES PRINCIPAUX CONSTITUANTS

☞ LES COPEAUX DE CORNE TORRÉFIÉE ET LE SANG
DESSÉCHÉ sont riches en azote et en divers
oligo-éléments.

☞ LA FARINE D'ARÊTES DE POISSON apporte phosphore et calcium.

☞ LE FUMIER SÉCHÉ DE BOVINS ET LE GUANO sont
fortement azotés, riches en calcium et en
potassium.

☞ LES ENGRAIS À BASE D'ALGUES sont appréciés
pour leur potassium, ainsi que leur richesse
en nombreux oligo-éléments et diverses vitamines utiles.

Respectez bien le dosage de l'engrais.

BIEN APPORTER L'ENGRAIS

☞ ÉPANDEZ L'ENGRAIS EN GRANULÉS autour des
légumes à la dose indiquée sur l'emballage
et faites-le pénétrer dans le sol par un léger
griffage.

☞ FERTILISEZ TOUTES LES DEUX À QUATRE SEMAINES
les légumes exigeants cultivés dans un sol
enrichi de compost.

☞ POUR LES LÉGUMES CHÉTIFS et qui poussent
mal : un apport une fois par semaine, pendant
4 semaines.

☞ POUR LES LÉGUMES PLANTÉS SERRÉS, un apport
en engrais toutes les quatre semaines.

☞ UN ENGRAIS TOUTES LES 2 SEMAINES pour les
légumes plantés en culture secondaire après
des espèces très ou moyennement exigeantes.

Les purins végétaux

Ces macérations de plantes sont considérées
comme une panacée par les inconditionnels
de la culture biologique. Bien que leur effet
n'ait pas encore été prouvé scientifique-
ment, il est certain que les purins végétaux
contribuent au renforcement des défenses
naturelles des plantes et les rendent donc
moins sensibles aux maladies. Vous pouvez
fabriquer vous-même votre purin végétal et
en arroser les légumes exigeants une fois par
semaine.
Ce sont de véritables engrais organiques qui
stimulent la croissance et corrigent certaines
carences.

LE PURIN D'ORTIE

Particulièrement riche en azote, il fortifie les légumes. On le donne aux jeunes plants une semaine après le repiquage, puis tous les 15 jours.

LE PURIN DE CONSOUDE

Il contient beaucoup d'azote et de potassium. On l'administre principalement aux légumes fruits. Les tomates, les aubergines, les poivrons, les cucurbitacées apprécient d'en recevoir une fois par semaine.

LE PURIN DE FEUILLES DE CHOU

Très stimulant, il contient de l'azote et des oligo-éléments. Il convient bien aux légumes exigeants.

LE PURIN DE POUSSES DE TOMATE

Riche en azote, stimulant, il renferme également des principes toxiques qui peuvent avoir un effet insecticide. À administrer une fois par mois.

LE PURIN DE PISSENLIT

Fabriqué avec la plante entière, il améliore la qualité intrinsèque des légumes et régularise la croissance.

LE PURIN DE SOUCI

Riche, équilibré, il consolide la santé des sols fatigués et lessivés ; il fortifie également les légumes.

COMMENT FABRIQUER LES PURINS ?

☛ DANS UN SEAU DE 10 L, jetez 1 kg de plantes hachées (sans graines).

☛ POUR LE PURIN DE TOMATE utilisez 100 g de pousses pour 5 l d'eau.

☛ REMPLISSEZ LE SEAU D'EAU DE PLUIE jusqu'à 10 cm du bord. Placez-le au soleil et remuez deux fois par jour.

☛ AJOUTEZ UNE POIGNÉE DE LITHOTHAMNE, qui accroît la teneur en oligo-éléments.

☛ APRÈS 2 OU 3 JOURS, le purin commence à fermenter et forme de la mousse. L'été, en 15 jours, il est prêt. Par temps frais, c'est plus long.

RECOMMANDATION

Couvrez les seaux à purin avec un grillage fin, pour que les insectes ne viennent pas s'y noyer, et placez-les bien hors de portée des enfants.

COMMENT UTILISER LES PURINS ?

☛ FILTREZ toujours les purins.

☛ DILUEZ LE PRODUIT DE BASE avec de l'eau dans les proportions de 1/10.

☛ POUR LES LÉGUMES JEUNES et peu exigeants, diluez de 1/20.

☛ ARROSEZ LES RACINES avec le liquide dilué, évitez le contact avec les feuilles pour éviter les risques de brûlures.

☛ N'UTILISEZ JAMAIS LE PURIN par temps très chaud et en plein soleil.

1

2

3

Autres soins

LE BUTTAGE

Consistant à former un petit monticule de terre au pied d'une plante, le buttage s'utilise sur de nombreux légumes au cours de leur croissance.

❧ ON PEUT BUTTER : tomates, poivrons, aubergines, choux, à l'exception du chou-rave et du chou de Chine, pommes de terre, carottes, haricots, pois, fèves, poireaux.

AVANTAGES DU BUTTAGE

❧ IL AÈRE LA TERRE AUTOUR DES LÉGUMES. C'est avantageux dans les sols lourds.

❧ DE NOMBREUX LÉGUMES (tomates, choux) forment de nouvelles racines après le buttage sur la tige enterrée. Ils absorbent ainsi davantage de nourriture et profitent de l'humidité.

❧ À L'OBSCURITÉ, les parties vertes non comestibles chez les carottes et les pommes de terre ne forment pas. Le poireau développe des tiges blanches plus longues (fûts).

UTILISER LE PURIN D'ORTIE

1. *Faites macérer les orties dans de l'eau.*
2. *Après 15 jours de macération, filtrez.*
3. *Utilisez les purins végétaux en arrosage, toujours après les avoir dilués.*

LE TUTEURAGE

Cette pratique est nécessaire pour tous les légumes qui ne peuvent se maintenir naturellement, comme les concombres et les tomates.

Attachez les pousses sans les serrer. Elles vont grossir en se développant et risqueraient de s'étrangler. Les nœuds en forme de huit sont parfaits pour cet usage : croisez les fils pour former une boucle autour du tuteur, faites de même autour du légume.

Généralités sur les ravageurs et les maladies

Lorsque les légumes poussent mal, il y a toujours une cause que vous devez découvrir afin de pouvoir intervenir plus efficacement. Observez bien les légumes, sans hésiter à en déterrer un pour examiner les racines et le sol. Les causes peuvent être multiples...

☛ **DES ERREURS** comme une carence en divers éléments nutritifs ou un excès d'engrais, des erreurs de dosage dans l'arrosage, un climat inadapté, etc. peuvent provoquer une décoloration et le dépérissement des feuilles. Dans les sols lourds et imperméables, des poches d'eau peuvent se former, faisant pourrir les racines et mourir de la plante.

☛ **DES ANIMAUX PARASITES** comme les pucerons, chenilles, araignées rouges sont décelables en observant les légumes. Mais de nombreuses espèces nuisibles comme les limaces et certaines chenilles ne sont actives que la nuit. Au matin on ne trouve que leur trace... et leurs dégâts !

☛ **DES CHAMPIGNONS MICROSCOPIQUES** provoquent des maladies reconnaissables par des taches brunes sur les feuilles, les tiges et les fruits, par un dépôt blanchâtre sur le feuillage ou plus grave par des flétrissements rapides, ou une pourriture localisée ou généralisée.

Campagnol

Rongeur brun de 20 cm de long environ, qui dévore les racines des légumes. Il se signale par des galeries et des monticules de terre dans le jardin.

☛ **PRÉVENTION** : bruit et ondes dans le sol. Plantez des végétaux répulsifs dans les zones menacées, ôtez la couche de mulch. Placez des pièges et des appâts spécifiques.

Gastéropodes

Les limaces et les escargots mangent les jeunes légumes et tous les légumes feuilles. Ils sont surtout actifs durant la nuit. Les dégâts peuvent être importants.

☛ **PRÉVENTION** : épandez sur les planches de la cendre de bois, du sable, des copeaux de bois ou de la paille d'orge. Placez des appâts anti-limaces sous une tuile romane.

Courtilière

Cet insecte brun, ailé, de 5 cm de long creuse des galeries et déracine les jeunes plantes. Il ronge aussi les racines.

☛ **PRÉVENTION** : un labour vers la fin juin, à 15 cm, élimine les œufs et les larves. Fin septembre, creusez des sillons de 15 cm et remplissez-les de fumier. Les courtilières vont hiverner dedans : piégez-les aisément.

Criocère de l'asperge

Ce coléoptère de 6 mm de long est rouge et noir avec la tête bleue. Deux générations par an produisent des larves qui rongent les jeunes tiges.

☛ **PRÉVENTION** : récoltez les insectes à la main et éliminez-les, coupez les tiges attaquées et brûlez-les. Traitez début mai pour éliminer les adultes de 1re génération avant la ponte.

Altise

Ce coléoptère noir de 2 à 3 mm de long pique les feuilles des crucifères : chou, navet, radis. Certaines altises attaquent : l'épinard, la pomme de terre et l'aubergine.

☛ **PRÉVENTION** : des bandes jaunes ou blanches couvertes de glu piègent les adultes. Traitez les fortes attaques avec du pyrèthre naturel.

Doryphore

Adultes et larves de ce beau coléoptère dévorent les pommes de terre et toutes les feuilles d'autres solanacées.

☛ **PRÉVENTION** : récoltez à la main les larves et les adultes, vaporisez avec une décoction de fougère, saupoudrez de pyrèthre naturel.

Les ravageurs

Dans un contexte équilibré, le nombre des parasites est limité, naturellement contenu par les insectes utiles. Mais le potager avec ses cultures groupées, voire serrées représente un terrain particulièrement attrayant pour les insectes et autres ravageurs. Il importe d'intervenir dès l'observation des premiers dégâts, car les conséquences sont vite désastreuses.

☙ **LES RONGEURS,** surtout les campagnols, dévorent les racines. Ils créent aussi des dégâts par les nombreuses galeries qu'ils creusent sous les planches. Celles-ci se différencient par leur forme ovale et droite de celles des taupes, ovales et aplaties. Vérifiez avant de poser des pièges ou des appâts.

☙ **LES GASTÉROPODES,** limaces et escargots se nourrissent surtout de jeunes plantes. Les limaces commettent les dégâts les plus importants, laissant des traces de mucus sur les feuilles qu'elles perforent durant la nuit.

☙ **LES INSECTES,** qui constituent la classe la plus diversifiée du règne animal, comptent parmi les ravageurs les plus répandus dans les potagers. Ils s'attaquent potentiellement à toutes les parties des végétaux. Certaines espèces d'insectes sont même spécifiques d'un seul légume. Il ne faut pas les confondre avec les acariens (8 pattes), également redoutables.

☙ **LES PUCERONS** piquent l'épiderme et pompent la sève des légumes. Ils peuvent transmettre des virus.

Piéride du chou

Ces chenilles jaune et noir perforent les feuilles des choux.
☙ **PRÉVENTION :** culture mixte, avec tomates et céleri. En mai et juillet, pulvérisez une décoction de tomate à effet répulsif ou une préparation à base de *Bacillus thuringiensis*. Ramassez les œufs et les chenilles.

Teigne du poireau

Des petites chenilles jaunes et blanches ou vertes creusent de longues tranchées dans les feuilles des oignons et des poireaux qui pourrissent très vite.
☙ **PRÉVENTION :** en mai et en juillet, lorsque le papillon vole, couvrez la culture avec des filets. Vaporisez une décoction de bruyère.

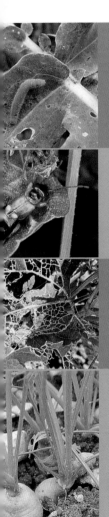

Chenille

Des chenilles vertes rongent les feuilles des choux et des maïs, pénètrent au cœur de la plante et la font pourrir.

↪ **PRÉVENTION** : culture mixte avec céleri, thym et tomate. Le soir, ramassez les chenilles et brûlez-les. Vaporisez une décoction de sureau ou de rhubarbe deux fois par semaine ou de la Bactospéine *(Bacillus thuringiensis)*.

Forficule commun

Les larves qui vivent dans le sol rongent la nuit les racines et le collet des jeunes pousses de choux, les champignons, les salades et les salsifis.

↪ **PRÉVENTION** : vaporisez une décoction de feuilles de sureau, d'absinthe ou une poudre insecticide à base de pyrèthres ou dérivés.

Punaises

Des larves de 5 mm de long piquent les feuilles en juin et juillet, ce qui provoque la décoloration et la crispation du feuillage. Betterave et haricot sont attaqués.

↪ **PRÉVENTION** : inutile de prévoir une action spécifique si l'on traite contre les pucerons.

Mouche de la carotte

Des petites larves jaunâtres creusent des galeries dans les carottes, les panais et les céleris raves.

↪ **PRÉVENTION** : n'utilisez pas de fumier frais. Culture mixte avec oignon et ail. Vaporisez une décoction d'oignon. Posez un filet fin.

LES CHARANÇONS, et souvent leurs larves, forent des trous dans les feuilles, les bourgeons et les grains.

LE VER « FIL DE FER », larve du taupin, ronge les légumes racines et les tubercules (pomme de terre).

LES PAPILLONS se nourrissent de pollen et de nectar. Ils pondent d'énormes quantités d'œufs qui donnent naissance à d'avides chenilles qui dévorent principalement les feuilles.

LES MOUCHES pondent leurs œufs sur les feuilles ou les racines. Leurs larves creusent des galeries dans les légumes, les rendant rapidement impropres à la récolte et à la consommation.

LES ACARIENS sont de minuscules araignées, jaunes ou rougeâtres. Installés la plupart du temps sous les feuilles, ils se protègent par une fine toile bien tissée. Ils grignotent la surface des feuilles, ce qui fait périr les plantes.

LES NÉMATODES, qui sont des vers microscopiques, abondent dans tous les sols. Certains pondent leurs œufs dans les racines des plantes. Les jeunes larves dévorent l'intérieur des racines et des tiges. Les plantes attaquées dépérissent et meurent.

LES MILLE-PATTES et les isopodes se nourrissent surtout de morceaux de plantes en décomposition et causent peu de dommage aux plantes, mais on n'aime pas beaucoup les observer dans le potager.

Charançon

Les petites larves blanches rongent les feuilles des oignons, de l'ail, des poireaux. Elles s'introduisent à l'intérieur des oignons, mais aussi des haricots en grains.

PRÉVENTION : saupoudrez du lithothamne sur les oignons repiqués. Vaporisez une décoction de tanaisie. Détruisez les plantes.

Mouche blanche

Ces minuscules insectes blancs colonisent le dessous des feuilles qui faiblissent et collent. Surtout dans les serres, et sur les choux à l'extérieur.

PRÉVENTION : vaporisez des préparations à base de savon, de tanaisie et de pyrèthre. En serres, posez des plaques de glu jaunes.

Puceron

Colonies d'insectes verts ou noirs, sur les feuilles, les tiges, l'extrémité des pousses. Les feuilles sont collantes et s'enroulent sur elles-mêmes. La plante s'affaiblit.

☛ PRÉVENTION : en cas d'attaque réduite, douchez les plantes. Vaporisez une décoction d'orties, d'absinthe, de tanaisie, de rhubarbe (pour les pucerons noirs) ou de savon.

Thrips

Ces insectes plats de 1 mm de long aspirent le suc des feuilles, qui prennent un coloris argenté. Fréquents sur les pois, concombres, poireaux, choux et oignons.

☛ PRÉVENTION : douchez le feuillage par temps chaud et sec. Décoction de savon et, si nécessaire, pulvérisation de pyrèthre naturel.

Araignées rouges

Minuscules et rougeâtres, elles forment de fines toiles. Les feuilles dépérissent et la plante meurt. Surtout sur les haricots et les concombres dans les serres.

☛ PRÉVENTION : décoction de prêle, de tanaisie, d'orties. Sous abri, utilisez des insectes auxiliaires, notamment certaines coccinelles.

Nématodes

Ces vers microscopiques sucent les racines des crucifères, des carottes, des pommes de terre, qui dépérissent.

☛ PRÉVENTION : assolement indispensable, cultures mixtes avec œillets d'Inde et soucis. Détruisez les plantes malades, désinfectez.

LES MALADIES

Seules les plantes affaiblies sont sujettes aux maladies. Les champignons colonisent surtout les plantes dont les tissus sont gonflés par un excès d'engrais azoté ou affaiblis par de mauvaises conditions de culture. Bactéries et virus pénètrent dans les tissus par des blessures. La plupart des maladies ne peuvent pas être guéries. Les mesures de prévention : apport d'engrais équilibré, pauvre en azote, vaporisation régulière avec des décoctions fortifiantes à base de plantes. Le traitement préventif avec des fongicides est souvent nécessaire.

LES CHAMPIGNONS

• Le mildiou attaque presque tous les légumes, surtout la pomme de terre.

• Les moisissures surviennent dans des milieux humides et confinés.
• Les champignons du sol attaquent les racines et le collet.
• Les taches foliaires apparaissent par temps humide sur les plantes qui souffrent d'un excès d'engrais azoté.
• La pourriture noire est un champignon qui sévit sur tous les choux.

VIRUS ET BACTÉRIES

Les virus sont transmis par des insectes suceurs, principalement les pucerons.
Le seul moyen de lutte efficace est l'utilisation de variétés résistantes et de semences saines. Les maladies bactériennes se caractérisent par des pourritures. Il n'existe pas de remède.

Mildiou

Un dépôt gris, farineux se forme sur le bord ou sous des feuilles des pois, choux, concombres, salades, épinards, oignons.
☞ PRÉVENTION : ne plantez pas trop serré et choisissez des variétés résistantes. À titre préventif, vaporisez des décoctions de prêle. Coupez les parties atteintes et détruisez-les. Pulvérisez un fongicide au début de l'attaque.

Botrytis

On appelle aussi cette maladie « pourriture grise ». Un duvet gris-brun se forme sur les pois, salades, oignons et concombres, surtout lors des étés humides.
☞ PRÉVENTION : ne plantez pas trop serré. Vaporisez, à titre préventif, de la décoction de prêle sur le sol et les plantes. Détruisez les plantes malades. Drainez bien le substrat.

Alternariose

Des taches noires se forment sur les fruits des solanacées – aubergines, tomates, poivrons, piments, qui pourrissent.

☛ PRÉVENTION : ne plantez pas trop serré. La maladie est provoquée par la persistance de la rosée ou de l'humidité sur l'ensemble de la plante. N'arrosez pas par aspersion.

Pourriture des tubercules

Taches brunes sur les feuilles d'abord, puis sur les tiges et les racines ou tiges tubérisées. Les plantes meurent ou deviennent inconsommables.

☛ PRÉVENTION : ne plantez pas trop serré. Vaporisez à titre préventif avec une décoction d'oignon, d'ail ou de prêle. Arrachez aussitôt les feuilles malades et détruisez-les.

Oïdium

Taches blanc grisâtre sur les feuilles, les fruits et les racines des pois, concombres, poireaux, céleris, betteraves.

☛ PRÉVENTION : n'arrosez pas le feuillage. Vaporisez à titre préventif une décoction de prêle. Pulvérisez du soufre à l'apparition des symptômes excepté en plein été.

Pythium, fonte des semis

Les racines et le collet des plantules noircissent et les plantes s'affaissent brutalement.

☛ PRÉVENTION : utilisez un substrat léger et très drainant pour les semis. Déposez de l'engrais d'algue dans le trou de plantation.

PATRICK MIOULANE
VOUS CONSEILLE

Les engrais exercent une action particulièrement rapide lorsqu'ils sont utilisés sous forme liquide. Diluez-en un bouchon dans un arrosoir de 10 l contenant de l'eau de pluie, puis arrosez directement les racines des légumes avec cette solution. Appliquez les 10 litres d'eau sur 2 m² environ.

Les récoltes au potager

Du premier radis au dernier chou vert, le temps des récoltes de légumes s'étend du printemps à la fin de l'automne. En été, lorsque la production est si abondante qu'il ne vous est pas possible de tout consommer, faites des conserves et congelez le surplus pour l'hiver, vous ne le regretterez pas.

Les jardiniers débutants se posent souvent la question : à quel moment un légume est-il mûr ? Sachez que la période favorable pour la récolte n'a rien à voir avec la maturité biologique des plantes. Au sens botanique du terme, la maturité ne se produit qu'après le développement des graines.

Le but de tout être vivant étant la reproduction, sa « substantifique moelle » passe dans les semences. Au stade de complète maturité, les feuilles, les tiges et les racines durcissent ou se lignifient, devenant impropres à la consommation.

À l'exception des légumes fruits, nous récoltons des plantes qui ne sont pas vraiment « mûres », mais l'expérience montre qu'ils sont ainsi savoureux et digestes. Ceci est démontré avec les primeurs, les mini-légumes, les pommes de terre nouvelles, les haricots extra-fins, les radis, tous si délicieux, parce qu'ils sont jeunes et tendres.

En pleine production, les haricots verts doivent être cueillis tous les 2 jours pour une qualité gustative optimale.

Combien de récoltes ?

Certains légumes demandent une cueillette fréquente et répétée. Cela augmente même le rendement. C'est le cas avec les haricots, les concombres, les cornichons et les pois.

Les choux-fleurs, le brocoli et les tomates se récoltent lorsqu'ils se sont développés de manière optimale. D'autres, comme les salades, les courgettes, les artichauts, les carottes, les navets, les asperges, sont récoltés à des stades végétatifs différents, ce qui permet d'apprécier des saveurs variées.

Quand et comment ?

Selon les espèces de légumes, la date et la manière de les récolter diffèrent.

LES LÉGUMES FRUITS

Les tomates sont récoltées lorsque leurs fruits sont bien colorés (rouges ou jaunes). Détachez-les délicatement, en effectuant un mouvement de rotation du bout des doigts.

Les poivrons peuvent être cueillis verts. Ils ne sont pas encore mûrs, mais savoureux. En passant au rouge ou au jaune, leur goût est moins marqué, plus sucré, mais ils deviennent plus digestes. Coupez le pédoncule avec un couteau ou un sécateur.

Les courgettes et les concombres demandent à être prélevés deux fois par semaine. Coupez les fruits qui ont atteint une bonne taille.

Récoltez les aubergines dès que les fruits mesurent de 15 à 25 cm et qu'ils ont pris une belle teinte violet foncé homogène.

Les épis de maïs sont bons à récolter dès que les barbes brunissent.

LES LÉGUMINEUSES

Pois et haricots se récoltent au moins une fois par semaine. Ne tirez pas trop fort sur les gousses, car les tiges sont cassantes. Cueillez les pois mange-tout lorsque les gousses sont encore très plates. Les petits pois sont meilleurs jeunes, ils deviennent farineux s'ils sont oubliés. Les haricots filets sont récoltés tous les deux jours, aussi fins que possible. Les haricots d'Espagne doivent être petits et tendres, et le grain des fèves encore clair. Les haricots en grains se récoltent lorsque les gousses se flétrissent et sèchent.

LES SALADES

Récoltez en permanence, avec un couteau aiguisé, laitue à couper et mâche. Prélevez les plus grosses têtes de laitues pommées et de chicorées, avant la montée à graines.

LES LÉGUMES FEUILLES

Prélevez les feuilles de poirée de l'extérieur vers l'intérieur de la touffe. Coupez les épinards et la tétragone une fois par semaine avant la montée à graines. Récoltez l'oseille à loisir.

LES CHOUX

Avec une fourche-bêche, arrachez le chou pommé, coupez le trognon. Récoltez les choux d'hiver lorsque les têtes sont grosses et fermes, et les choux-raves lorsqu'ils pèsent de 80 à 100 g (la taille d'une balle de tennis).

Coupez l'inflorescence centrale du brocoli et du chou-fleur, tant qu'elle est encore ferme (attention, les fleurs ne doivent pas s'ouvrir). Pour le chou de Bruxelles, cueillez les plus grosses pommes en commençant par le bas. Attendez de préférence qu'une petite gelée soit passée : elle gomme l'amertume.

LES ALLIACÉES

Avec la fourche bêche, soulevez oignon, ail et échalote en entier, lorsque les feuilles sont fanées. On les couche d'ailleurs sur le sol quelques jours avant la récolte pour que les bulbes grossissent de manière optimale.
Récoltez les poireaux en continu, lorsque les tiges sont suffisamment épaisses. Ils peuvent hiverner à l'extérieur, protégés par un buttage.

TUBERCULES ET RACINES

Récoltez les pommes de terre lorsque les feuilles commencent à jaunir.
Arrachez les carottes et les radis, plutôt jeunes et de manière continue, les variétés d'hiver avant les premières gelées.
Les betteraves rouges sont récoltées mi-octobre, le céleri avant les premières gelées, le raifort jusqu'en novembre. Le salsifis peut être prélevé tout l'hiver. Le fenouil est arraché dès que les bulbes sont bien formés.

DIVERS

Coupez les plus gros pétioles de rhubarbe selon les besoins du début du printemps jusqu'à fin juin, puis en automne, périodes durant lesquelles ils sont les plus tendres.

Récoltez les asperges avec une gouge. Les blanches de manière continue lorsqu'elles pointent juste à la surface, les vertes tous les deux jours pour qu'elles soient tendres.
Coupez les artichauts à partir de juin, au fur et à mesure des besoins.

Récolter au bon moment

Si vous désirez consommer vos légumes le jour même, récoltez-les juste avant de les utiliser. Ils seront frais et riches en vitamines. Cueillez tôt dans la journée les légumes produits pour la conserve ou à la congélation. Les légumes destinés à être stockés sont récoltés par temps sec, de préférence en milieu de journée.

Récoltez les choux lorsqu'ils sont bien pommés.

Le raifort consomme beaucoup de nitrates.

Polémique des nitrates

Forme sous laquelle l'azote est absorbé par les plantes, les nitrates sont présents dans les légumes. Très décriés pour leur toxicité potentielle (surtout lorsqu'ils se transforment en nitrites), les nitrates sont considérés comme des polluants de l'eau. Pour la santé humaine, les risques concernent les nourrissons, mais à des doses inconnues dans la nature. La poirée, les radis, le épinards, les betteraves sont les plus riches en nitrates. Voici quelques astuces afin d'en réduire leur teneur.

Cultivez les légumes en plein soleil pour que les nitrates, qui servent à l'élaboration des protéines, soient utilisés plutôt que stockés. Éliminez les feuilles en surnombre afin que toutes les parties à récolter soient bien exposées au soleil. Récoltez le soir les légumes riches en nitrates, car une partie a été absorbée naturellement durant la journée.

Entreposer les légumes

En hiver, on apprécie les résultats du travail accompli l'été dans le potager. Les légumes récoltés doivent pouvoir rester aussi savoureux, frais et riches en vitamines que possible. Il existe plusieurs possibilités.

UNE CAVE FRAÎCHE

Sombre et abritée du gel, elle est l'endroit idéal pour la conservation de nombreux légumes, à condition qu'une bonne aération soit prévue. Attention, l'humidité de l'air est importante et seules les caves au sol en terre battue assurent un degré hygrométrique suffisamment équilibré pour empêcher le flétrissement des légumes entreposés, sans risquer des pourritures destructrices.

Vous pouvez toutefois entreposer des légumes dans une cave en béton, à condition qu'elle soit fraîche et correctement ventilée.

☛ PLACEZ DANS DU SABLE carottes, betteraves rouges, navets, chou-rave, rutabaga, topinambour et radis d'hiver. Coupez les feuilles à environ 2 cm au-dessus de la racine.

☛ PLACEZ LES POMMES DE TERRE dans des caissettes ou des cageots qui seront secoués régulièrement pour casser les germes. L'entreposage à l'abri de la lumière est obligatoire.

☛ ROULEZ LES ENDIVES individuellement dans du papier journal et placez-les dans un carton.

☛ ACCROCHEZ LES CHOUX par le trognon qui ne doit pas avoir été coupé. Ou arrachez-les en motte et stockez-les ainsi.

☛ SUSPENDEZ LES LÉGUMES BULBEUX : ail, oignon, échalote dans des filets.

UN SILO DANS LE POTAGER

C'est une technique ancestrale qui convient fort bien aux tubercules, aux légumes racines, ainsi qu'au céleri branche et aux choux pommés.

☛ **POUR CONFECTIONNER UN SILO,** creusez dans un sol plutôt léger, un trou carré ou une tranchée de 30 à 40 cm de profondeur.

☛ **DISPOSEZ DES BRIQUES SUR LE POURTOUR.** Elles vont servir à isoler le fond, puis disposez un grillage métallique dessus, afin que les rongeurs ne dévorent pas vos récoltes.

☛ **POSEZ LES LÉGUMES** sur une mince couche de paille et couvrez-les avec ce matériau. Placez une planche sur un côté du silo, que vous pourrez retirer pour effectuer l'ouverture.

☛ **RECOUVREZ LE SILO DE TERRE,** en formant une butte que vous tasserez légèrement. Placez au centre un morceau de gouttière en PVC pour assurer l'aération.

☛ **BOUCHEZ L'EXTRÉMITÉ DE LA GOUTTIÈRE** avec une poignée de paille qui laissera passer l'air, mais absorbera l'humidité.

ASTUCE

Enterrez le tambour d'une vieille machine à laver, pour le transformer en « cave » que vous couvrirez d'une couche de paille.

EN JAUGE

C'est une technique possible dans les régions aux hivers peu rigoureux.

☛ **LES LÉGUMES** (poireaux, choux pommés) sont arrachés avec leurs racines, puis placés bien serrés les uns contre les autres dans une tranchée creusée dans le sens Ouest/Est.

☛ **LES LÉGUMES SONT DISPOSÉS** perpendiculairement dans la tranchée, la partie supérieure dirigée vers le Nord, puis ils sont à demi recouverts de terre et d'un film de plastique à bulles ou un sac en toile de jute destiné à les protéger contre le froid.

☛ **LA CONSERVATION** dans les pièces d'habitation, chaudes et sèches, n'est possible que brièvement, par exemple pour faire mûrir des tomates. Posées sur un rebord de fenêtre, celles-ci rougissent vite.

☛ **OIGNON, ÉCHALOTE ET AIL** se conservent dans un lieu frais et sec, par exemple dans un grenier abrité du gel. Placez-les dans des corbeilles, sans les serrer, ou faites des tresses.

La conservation

Plusieurs méthodes de conservation sont possibles pour les légumes qui ne peuvent être entreposés en raison de leur fragilité.

LA CONGÉLATION

Cette technique qui consiste à provoquer un blocage du métabolisme par le froid (-18 °C) permet de conserver la plus grande partie des vitamines des fruits et des légumes. Pour l'amateur, la solution consiste à blanchir (échauder à l'eau bouillante) les légumes avant de les congeler. Tomate, courgette, aubergine, poivron, fond d'artichaut, asperge se congèlent plutôt après cuisson ou préparés : ratatouille, coulis, petits farcis... Haricots verts et en grains, fèves, petits pois sont les plus faciles à congeler à la maison.

1

2

3

4

LA CONSERVATION EN SILO

1. *Creusez le sol pour constituer le silo.*
2. *Posez un grillage sur l'assise de briques.*
3. *Disposez les légumes sur de la paille.*
4. *Obstruez la cheminée d'aération.*

LES CONSERVES

La durée importante de la cuisson fait perdre une partie des vitamines aux légumes en bocaux. Toutefois, les conserves restent un moyen simple et populaire de stocker une partie de la récolte des légumes d'été : pois, haricots, tomates, asperges surtout.

Il est aussi possible de conserver dans le vinaigre aromatisé haricots, concombres et cornichons ou de transformer le chou d'hiver en choucroute dans une saumure.

LE SÉCHAGE

Cette technique permet de conserver le goût et la valeur nutritive de certains légumes, à condition de bien s'y prendre, c'est-à-dire d'opérer lentement et à chaleur réduite. Vous pouvez sécher haricots verts, tomates en tranches, céleri-rave et carottes découpées en allumettes. Les légumes séchés sont conservés dans des bocaux de verre hermétiques et réhydratés au moment de l'utilisation. Leur goût est souvent modifié.

Les légumes fruits

Les couleurs brillantes des légumes fruits constituent déjà un régal pour les yeux. Mais ils ont également un goût délicieux. Les obtenteurs travaillent beaucoup ces légumes très prisés aujourd'hui, créant sans cesse des variétés aux teintes, aux formes et aux saveurs toujours plus riches.

Dans l'usage courant, la différence entre les fruits et les légumes vient de l'usage culinaire que l'on en fait et aussi de leur saveur dominante. D'une manière générale, tout ce qui se consomme en dessert est classé dans la catégorie « fruits ». C'est le cas des melons et des pastèques par exemple, qui ne figurent pas dans la sélection des pages suivantes, bien qu'on les produise au potager et non dans le verger. Sur le plan botanique, les fruits constituent l'enveloppe protectrice des semences qui, pour la plante, sont les organes les plus précieux. Certains légumes fruits comme la tomate et l'aubergine ne sont comestibles qu'à maturité. D'autres comme la courgette, le cornichon, sont meilleurs lorsqu'ils sont encore jeunes. Les légumes fruits demandent beaucoup de chaleur et de soleil pour mûrir. Ils craignent le gel et peuvent être totalement

cultivés avec succès sous abri. Pauvres en calories, ils conviennent idéalement à une cuisine diététique, saine et légère.

Tomate 'Jaune plissée', une variété étonnante et goûteuse.

Tomate
Solanum lycopersicum

Famille : *Solanaceae*.

Particularités : mesurant jusqu'à 1,80 m de haut, solide, ramifiée, la plante porte des fruits rouges ou jaunes, souvent réunis en grappes. Il en existe d'innombrables variétés : buissonnantes ou rampantes, à fruits ronds ovales ou en forme de poire, rouges, jaunes, roses ou violacés.

Durée de culture : 5 mois à partir du semis.

Rotation : ne la cultivez pas après une autre solanacée (poivron, aubergine...).

Culture mixte : salade, céleri, chou-rave, poireau, persil, carotte.

Sol : bien ameubli, chaud, humifère très riche. Lors du labour d'automne, ajoutez du fumier de cheval bien décomposé.

Semer/Planter : à partir de mars, semez en miniserre ou sur le bord d'une fenêtre à 16/20 °C. Repiquez les jeunes plants dans des pots individuels. Plantez en pleine terre à partir de début mai, en espaçant les plants de 70 cm. Mélangez à la terre d'origine un bon fertilisant organique à base de fumiers et d'algues. Enterrez la base de la tige de 5 à 10 cm et tuteurez le plant. Paillez la semaine suivante. Maintenez le sol légèrement humide.

Soins : taillez les pousses latérales pour ne conserver que deux tiges principales. Ne laissez que trois bouquets de fleurs par tige. Éliminez les pousses en surnombre au cours de la croissance. Arrosez abondamment et régulièrement au pied. Ne mouillez pas les feuilles lors des arrosages.

'Gourmet', une variété de tomate hybride, se cultive très bien sous abri dans un bac rempli de terreau.

Une fois par mois, fertilisez avec du purin d'ortie ou de consoude, ou avec un engrais organo-minéral.

Protection : ne plantez pas trop serré. Assurez-vous que le sol est bien drainé. Par temps humide traitez avec un fongicide de synthèse pour éviter le mildiou et le pied noir.

Récolte : dès fin juillet, récoltez les tomates bien colorées. Vous pouvez aussi les cueillir vertes avant les premières gelées et les laisser mûrir à l'intérieur sur une fenêtre.

Conseil : dans les régions froides, cultivez les tomates en bacs sous abri (serre ou véranda). Elles réussissent aussi dans une petite serre de balcon ou sous un treillage en bois sur lequel on a agrafé un film de forçage.

Remarque : les tomates vertes sont comestibles cuites et font de délicieuses confitures. Les tiges et les feuilles renferment une substance toxique : la solanine. Ces parties peuvent être macérées, puis utilisées comme insecticide de contact contre les pucerons surtout.

Courgette

Cucurbita pepo

Famille : *Cucurbitaceae*.

Particularités : cette plante rampante à larges feuilles et grosses fleurs jaunes en forme de cornet produit des fruits verts, jaunes ou rayés qui peuvent atteindre 5 kg.

Durée de culture : comptez de 5 à 6 mois à partir de la date du semis.

Rotation : ne la cultivez pas après une autre cucurbitacée, ni un autre légume fruit.

Culture mixte : à éviter car cette plante est trop imposante et n'aime pas la concurrence.

Sol : très riche, consistant, avec un apport de terreau ou de bon compost tamisé.

Semer/Planter : à partir d'avril, en pot sous abri, à l'extérieur à partir de mi-mai. Comptez une plante par mètre carré.

Soins : effectuez par temps sec des arrosages réguliers sans mouiller les feuilles.

Protection : placez des appâts anti-limaces. Isolez les fruits du sol, sinon ils pourrissent. Ignorez l'oïdium, bien supporté par la plante.

Récolte : 4 semaines après la plantation et jusqu'en octobre. Les courgettes de 20 cm de long sont idéales pour la consommation.

Conseil : cultivez de préférence des variétés hybrides F1 dont la production est régulière.

Potiron

Cucurbita maxima

Famille : *Cucurbitaceae*.

Particularités : cette plante rampante développe de longues pousses ramifiées, des grosses feuilles et des fleurs jaunes.

Le fruit peut peser plus de 100 kg, voire beaucoup plus chez les 'Atlantic Giant'.

Durée de culture : de 5 à 7 mois.

Rotation : cultivez le potiron après un légume peu exigeant ou un légume racine.

Culture mixte : incompatible, la plante est trop conquérante et couvre le sol.

Sol : très riche, avec fumier ou compost.

Semer/Planter : début avril, semez trois graines dans un pot de tourbe de 8 cm. Mi-mai, plantez à l'extérieur (2 m d'écartement au moins) dans un trou rempli de compost.

Soins : arrosez au pied. Apportez un engrais organique lorsque les fruits commencent à se former et glissez une tuile dessous.

Protection : inutile de traiter l'oïdium, rien n'est efficace, hormis une culture sous abri.

Récolte : prélevez avec leur pédoncule les fruits colorés lorsque les feuilles fanent.

Conseil : taillez les pousses après la troisième fleur. Un seul fruit par branche.

Posez les potirons sur une dalle pour les isoler du sol.

Concombre et cornichon

Cucumis sativus

Famille: *Cucurbitaceae*.

Particularités: c'est une annuelle rampante ou grimpante de croissance rapide ; les cornichons sont des concombres à petits fruits. Fleurs jaunes, fruits allongés verts. Les cornichons, qui mesurent de 5 à 10 cm de long, ont une écorce verruqueuse. Les concombres, de 20 à 35 cm de long, sont plus volumineux, avec une écorce plus lisse.

Durée de germination: comptez de 5 à 6 mois à partir de la date du semis.

Rotation: ne le cultivez pas après une autre cucurbitacée ou une plante exigeante.

Culture mixte avec: aneth, fenouil, céleri, poireau, betterave rouge, salade, chou.

Sol: riche et chaud. Amendez à l'automne avec du compost. La culture donne de bien meilleurs résultats après un engrais vert.

Semer/Planter: en avril, sous abri, à raison de trois graines par godet, rempotez un mois après la levée. À partir de mi-mai, le semis en pleine terre est possible. Disposez du fumier de cheval frais au fond du trou pour obtenir de la chaleur qui est bénéfique à la germination. Espacement entre chaque plant: 1 m.

Soins: arrosez très régulièrement sans mouiller le feuillage. Sous abri, maintenez une bonne humidité ambiante, mais aérez dès que possible. Paillez le sol. Palissez sur un treillage pour obtenir des concombres bien droits. Taillez les pousses après la cinquième feuille, afin qu'elles se ramifient et produisent plus de fruits.

Les cornichons doivent être récoltés jeunes : ils sont alors bien croquants et ne piquent pas.

Protection: choisissez une variété résistante au mildiou. Vaporisez des décoctions de prêle stimulantes, depuis la levée jusqu'à l'apparition des premiers fruits. Contre les araignées rouges et les mouches blanches, pulvérisez des insecticides du commerce à base de pyréthrines.

Récolte: de juillet à septembre. Concombres et cornichons doivent être cueillis jeunes, avant qu'ils ne commencent à jaunir.

Conseil: les variétés nouvelles, notamment les hybrides F1, offrent l'avantage de former une grande majorité de fleurs femelles (plantes gynoïques), d'où une récolte plus abondante. Elles sont résistantes aux maladies.

Pas encore mûr, le poivron vert offre une saveur affirmée.

Poivron
Capsicum annuum

Famille: *Solanaceae*.

Particularités : ce buisson de 80 cm, aux feuilles sombres et petites fleurs verdâtres, produit des fruits verts, rouges ou jaunes à la saveur douce, ce qui le distingue du piment.

Durée de culture: comptez environ 5 mois à partir de la plantation.

Rotation: cultivez le poivron après les épinards ou les radis. Faites-le suivre par de la mâche ou des épinards d'hiver.

Culture mixte: éventuellement des radis en intercalaire ou quelques fines herbes.

Sol: riche, humifère, amendé en matière organique (compost de fumiers et algues).

Semer/Planter: dès mars, semez sous abri à 20/22 °C. Repiquez, puis plantez à partir de mi-mai, tous les 40 cm. Ajoutez un bon fertilisant organique dans le trou de plantation.

Soins: buttez, paillez, arrosez beaucoup.

Protection : surveillez les limaces lors de la plantation, puis les pucerons noirs.

Récolte: à partir de juillet, lorsque les fruits sont bien développés.

Conseil: la culture en bac sous abri est très valable pour une production plus précoce.

Aubergine
Solanum melongena

Famille: *Solanaceae*.

Particularités : atteignant 1 m de haut, cette plante annuelle élancée, aux feuilles veloutées, épanouit des fleurs mauves qui donnent des fruits violets de 20 cm de long.

Durée de culture: il faut compter 5 bons mois à partir de la plantation.

Rotation: l'aubergine vient après les chourave, laitue à couper, radis. Faites suivre une culture d'aubergine par des choux d'hiver.

Culture mixte: quelques radis à forcer ou éventuellement persil et estragon.

Sol: humifère, profond, fertile. Amendez avec du compost à demi décomposé en automne.

Semer/Planter: semez à partir de mi-mars à 20/22 °C. Repiquez en godet, puis installez les jeunes plants à l'extérieur fin mai.

Soins: fertilisez 2 semaines après la plantation avec un engrais « tomates ». Arrosez bien au pied par temps sec. Limitez à 5 ou 6 fruits par plante. Ébourgeonnez.

Protection: limaces, pucerons et doryphores.

Récolte: lorsque les fruits sont bien colorés.

Conseil: achetez des plants greffés, plus productifs dans les régions fraîches.

Maïs doux

Zea mays var. saccharata

Famille : *Poaceae*.

Particularités : cette grande graminée annuelle érigée atteint 2 m de haut. Chaque plant produit un ou deux épis aux graines blanches ou jaunes, à la saveur sucrée.

Durée de culture : de 4 à 5 mois.

Rotation : cultivez le maïs après des épinards, continuez par de la mâche, mais surtout pas d'oignons ou de radis noirs.

Culture mixte : le maïs est compatible avec les pommes de terre, haricots, tomates.

Sol : riche et meuble, assez frais.

Semer/Planter : semez début mai en place, tous les 30 à 40 cm. Couvrez avec un film plastique pour hâter la germination. Les semis d'avril, en godets de tourbe sous abri, permettent une récolte plus précoce.

Soins : sarclez les mauvaises herbes. Arrosez régulièrement, bassinez le feuillage et paillez en cas de sécheresse. Fertilisez deux fois à six semaines d'intervalle, avec du purin d'ortie ou de consoude et un engrais organique liquide (type Solugène).

Protection : contre les nombreuses maladies cryptogamiques, pulvérisez de la bouillie bordelaise une fois par mois à titre préventif.

Récolte : en août, lorsque les épis sont à demi mûrs, ce qui se repère grâce aux barbes qui brunissent à leurs extrémités.

Conseil : la pollinisation du maïs s'effectue de plante à plante par le biais du vent. Plantez au minimum une bonne vingtaine de plants pour obtenir des épis.

Un double rang de maïs doux peut constituer une bonne protection contre le vent dans le potager.

Les légumineuses

Pois, fèves et haricots comptent depuis des millénaires parmi les aliments de base de l'humanité, car ils contiennent des protéines et des sucres lents (amidon), des minéraux (calcium, magnésium, fer), ainsi qu'un bon nombre de vitamines (surtout A, B, C). Ces légumes ne sont pas seulement nourrissants et sains, ils contribuent à la fertilité du sol en fixant l'azote de l'air.

Les légumineuses *(Poaceae)* possèdent une aptitude curieuse mais très utile. Grâce à des bactéries *(Azotobacter)* que renferment leurs excroissances (nodosités) racinaires, ces plantes captent l'azote de l'air et le stockent. Elles en utilisent une partie pour fabriquer des protéines qui se concentrent principalement dans les graines. Le reste profite au sol. Cultiver des légumineuses constitue donc une manière naturelle de produire de l'engrais.Il suffit de laisser en place les racines et de les retourner lors de la préparation de la planche pour une nouvelle culture. Grâce à cette faculté, les légumineuses ne nécessitent pas d'apport d'engrais azoté. Ces légumes, très nourrissants en raison de leur forte teneur en protéines végétales, contiennent aussi des corps gras, de l'amidon, des vitamines et des oligo-éléments. En théorie, il est possible de se nourrir de légumineuses seules, sans souffrir de carence.

Le haricot d'Espagne en fleurs est aussi très décoratif

Haricot d'Espagne
Phaseolus coccineus

Famille : *Fabaceae.*

Particularités : cette robuste grimpante aux fleurs rouges forme de larges gousses rugueuses contenant de gros grains.

Durée de culture : 5 mois après le semis.

Rotation : cultivez le haricot d'Espagne après de la salade ou des petits radis.

Culture mixte : avec chou-rave et brocoli.

Sol : souple, humifère, consistant, qui reste bien frais durant les chaleurs estivales.

Semer/Planter : installez des rames tous les 50 cm. Entre début mai et le 15 juin, semez à 3 cm de profondeur des poquets de 3 à 5 graines au pied de chaque tuteur.

Soins : arrosez lorsqu'il fait un peu sec. Buttez dès que la plante atteint 15 cm.

Récolte : cueillez deux fois par semaine les gousses qui mesurent 20 cm de long, car les haricots d'Espagne durcissent très vite. Les vieilles gousses sont décoratives.

Conseil : semés le long d'un grillage, les haricots d'Espagne protègent du vent et des regards indiscrets, tout en décorant bien.

Haricot filet et haricot à écosser

Phaseolus vulgaris

Famille : *Fabaceae*.

Particularités : cette plante annuelle, buissonnante ou grimpante, se décline en nombreuses variétés aux gousses (fruits) fines ou larges, vertes, pourpres, lie-de-vin, ou jaunes, qui renferment ou non des grains blancs, mouchetés ou verts (flageolets). Les haricots « mangetout » ne produisent pas de parchemin, ce qui permet d'en consommer les grains à peine développés.

Durée de culture : comptez environ 4 mois à partir de la plantation.

Les haricots filets doivent être récoltés régulièrement, afin d'offrir des gousses tendres à la saveur douce.

Rotation : le haricot peut être précédé par des pommes de terre nouvelles, de la salade, du chou-rave. Il sera suivi de chou vert, chou-rave, chou de Chine, chicorée frisée ou scarole.

Culture mixte : associez les haricots avec les choux, céleri, betterave rouge, salade.

Sol : meuble mais consistant, riche en humus pour qu'il reste bien frais en été.

Semer/Planter : d'avril à août, semez en lignes, à 2 cm de profondeur et tous les 5 cm ou en poquets de 3 à 5 graines distants de 50 cm. Posez un voile de forçage sur les premiers semis, il stimule la croissance des plantes.

Soins : éliminez régulièrement les mauvaises herbes et buttez les jeunes plants. Arrosez bien au moment de la formation des gousses. Pincez les tiges des haricots à rames lorsqu'elles ont atteint le sommet de leur tuteur.

Protection : choisissez des variétés modernes, plus savoureuses et résistantes aux maladies spécifiques des haricots. Éloignez les pucerons en plantant de la sarriette, des œillets d'Inde ou des capucines. Protégez les jeunes plants des limaces.

Récolte : les gousses jeunes ont meilleur goût et sont plus tendres. Une cueillette continue produit le double d'une récolte unique, car elle stimule la formation des gousses. Pour les haricots en grains, les cocos se récoltent frais, les flageolets demi-secs et les lingots ou les soissons une fois les gousses sèches.

Conseil : après la récolte, utilisez toute la végétation des haricots nains comme engrais vert. Fauchez-les et enfouissez-les dans le sol par un bon labour ou avec la motobineuse.

Pois (petit pois)
Pisum sativum

Famille : *Fabaceae*.

Particularités : cette plante annuelle grimpante ou buissonnante de 50 cm à 3 m de haut, porte des fleurs blanches et roses qui donnent naissance à des gousses vert clair renfermant des graines rondes, tendres.

Durée de culture : il faut compter entre 3 et 4 mois à partir de la date du semis.

Chez le petit pois, on consomme la graine fraîche ou sèche.

Rotation : faites suivre le petit pois par des chou d'hiver, mâche ou épinard ; cultivez-les plutôt après un légume racine.

Culture mixte : le pois cohabite bien avec carotte, laitue, chou, fenouil.

Sol : riche, frais et humifère, un peu calcaire.

Semer/Planter : de février à avril, semez les variétés à grains ronds et, de mars à juin, celles à grain ridé, à 3 cm de profondeur, en poquet, en lignes distantes de 30 à 50 cm.

Soins : arrosez bien durant la période estivale. Buttez les plants de 15 cm de haut.

Protection : il est souvent nécessaire de traiter contre les pucerons noirs.

Récolte : lorsque les gousses sont bien formées, gonflées et encore souples.

Conseil : palissez sur un grillage les pois à rames pour une bonne exposition au soleil.

Pois mange-tout
Pisum sativum

Famille : *Fabaceae*.

Particularités : sur le plan botanique, il s'agit d'une plante similaire au petit pois, mais les variétés diffèrent par leurs gousses plates renfermant de toutes petites graines. Très apprécié par les grands chefs, on l'appelle aussi « pois gourmand » et parfois « princesse » pour sa saveur délicate.

Durée de culture : les premières récoltes s'effectuent environ 3 mois à partir du semis.

Rotation : comme le petit pois. Les salades réussissent aussi très bien après.

Culture mixte : comme le petit pois. Évitez le soleil trop ardent en installant les pois mange-tout près des haricots à rames.

Sol : meuble, perméable, mais restant frais.

Semer/Planter : semez en poquets de début avril à début juin, en pleine terre, à 3 cm de profondeur, en lignes distantes de 30 cm.

Soins : maintenez le sol humide jusqu'à la germination. Inutile d'arroser ensuite. Buttez les plants de 15 cm de haut.

Protection : traitez les importantes colonies de pucerons. Désherbez soigneusement pour éviter toute concurrence défavorable.

Récolte : en plein été, de manière continue, tant que les gousses sont jeunes, tendres et présentent des graines à peine formées

Conseil : après la récolte, arrachez les pois et utilisez tiges feuilles et racines broyées pour pailler les arbustes fruitiers.

Chez les pois mange-tout on consomme l'ensemble de la gousse encore jeune et tendre.

Salades et légumes feuilles

De la première laitue 'Reine de mai' à la tendre et pâle endive hivernale, il est possible de récolter des salades en toutes saisons. Épinard et pissenlit pour l'automne et l'hiver, tétragone pour l'été sont les autres légumes feuilles que l'on consomme le plus couramment dans nos régions.

Le mot salade, qui étymologiquement signifie « mets salé », évoque surtout les crudités. Mais parmi les feuilles comestibles, on note beaucoup de variantes. L'endive se consomme crue ou cuite, ainsi que les épinards ou même la laitue. En raison de leur importante teneur en eau (jusqu'à 85 %), salades et légumes feuilles doivent être récoltés très frais. Prévoyez donc de les cultiver de manière échelonnée, en petites quantités, et surtout ne semez jamais d'un seul tenant tout le contenu d'un sachet de graines. Chez certains légumes comme le cardon, le céleri à côtes ou la poirée, on ne consomme pas la feuille, mais le pétiole qui s'est hypertrophié. Chez la plupart des plantes aromatiques, ce sont les feuilles qui sont consommées : aneth, basilic, cerfeuil, ciboulette, coriandre, laurier, marjolaine, menthe, oseille, romarin, sarriette, sauge et thym nous ravissent par leurs parfums subtils.

Chicorées frisée et scarole
Cichorium endivia 'Crispa', Cichorium endivia 'Latifolia'

Famille : Asteraceae.

Particularités : une rosette de feuilles ondulées, frisées, lisses ou cloquées offre un goût légèrement amer et un croquant très agréable. Il existe de nombreuses variétés.

Durée de culture : comptez de 2 à 3 mois à partir de la plantation.

Rotation : faites précéder les chicorées de pois primeurs, carottes à forcer ou de pommes de terre nouvelles.

La chicorée scarole 'Frida' doit être plantée assez serrée

Culture mixte : poireaux, choux, fenouil, radis en culture intercalaire.

Sol : humifère et frais, enrichi en compost.

Semer/Planter : semez dès avril sous abri, repiquez tous les 25 cm. Ne plantez pas trop profond, le cœur ne devant pas être enterré.

Soin : binez, sarclez, paillez avec des coques de cacao, arrosez par temps sec.

Protection : posez des appâts anti-limaces.

Récolte : lorsque la pomme est bien formée, dense et serrée au toucher.

Conseil : couvrez les chicorées d'une cloche opaque, deux semaines avant la récolte, pour les faire blanchir, ce qui élimine l'amertume.

Laitue pommée

Lactuca sativa var. capitata

Famille : *Asteraceae*.

Particularités : des têtes arrondies plus ou moins fermes sont composées de feuilles imbriquées vertes ou rougeâtres, souvent ondulées. Il existe de nombreuses variétés.

Durée de culture : la récolte a lieu environ 3 mois après la plantation.

Rotation : la laitue étant peu exigeante, elle peut précéder tous les légumes.

Culture mixte : avec radis, chou-rave, épinard, fraisier, tomate, oignon, carotte, choux. Jamais avec le persil. Les laitues pommées peuvent être plantées comme intercalaires entre les cultures à développement lent. Installez-les en plein soleil, car à l'ombre elles ne pomment pas.

Sol : léger, humifère, restant bien frais, tout en étant bien drainé.

Semer/Planter : placez les graines quelques jours au réfrigérateur avant de semer. Commencez en février sous abri avec les variétés précoces, repiquez sous tunnel plastique. Semez les laitues d'été en pépinière, en mars/avril sous un voile de forçage, ou en mai/juin sans protection. Semez les laitues d'hiver en août/septembre. Repiquez tous les 25 cm, sans que le cœur soit enterré (on dit « flottant »). Les graines enrobées germent plus régulièrement.

Soins : binez, désherbez. « Mulchez » contre la déperdition d'humidité, mais si nécessaire arrosez en pluie, de préférence le matin. Fertilisez avec du purin d'orties ou de consoude au début de la formation des pommes.

Protection : n'arrosez pas en plein soleil (risque de brûlure). Posez des appâts anti-limaces. Piégez les vers fil de fer avec des demi-pommes de terre posées à proximité.

Récolte : lorsque les pommes sont bien formées et aussi compactes que possible.

Conseil : la laitue pommée protègerait les plantes voisines des attaques des altises. Plantez-en toujours à proximité des crucifères (navet, chou, radis). Il est possible d'obtenir une seconde récolte en coupant la pomme au ras du sol sans arracher la laitue. Des petites feuilles se forment ensuite.

Laitue romaine

Lactuca sativa var. capitata

Famille : *Asteraceae*.

Particularités : cette salade forme de grosses têtes allongées, aux feuilles assez épaisses et croquantes, rouges ou vertes.

Durée de culture : la récolte a lieu environ 2 à 3 mois après la plantation.

Rotation : comme pour la laitue pommée.

Culture mixte : avec radis et carottes.

Sol : riche en éléments nutritifs, frais, humifère, pas trop compact.

Semer/Planter : de mars à août, semez sous abri ou en pleine terre, en pépinière. Repiquez tous les 35 cm les plantules ayant formé quatre belles feuilles.

Soins : fertilisez avec du purin d'orties ou un engrais minéral. Arrosez sans excès.

Protection : placez des anti-limaces près des jeunes plants. N'arrosez pas le cœur.

Récolte : de préférence tôt le matin, lorsque les pommes sont bien serrées.

Conseil : en culture mixte, veillez à ce que la laitue romaine bénéficie d'un important ensoleillement, sinon elle monte.

La laitue romaine produit des feuilles très croquantes.

Laitue à couper

Lactuca sativa var. crispa

Famille : *Asteraceae*.

Particularités : la plante forme des rosettes assez lâches de feuilles lisses, frisées ou découpées, vertes ou rouges de 15 cm de haut, constituant un ensemble arrondi.

Durée de culture : selon les variétés et la date de semis, comptez de 7 à 12 semaines après la levée des graines.

Rotation : la laitue à couper peut précéder toutes les autres cultures.

Culture mixte : comme pour la laitue pommée, surtout avec des petits radis.

Sol : riche, meuble, souple, frais, amendé avec du compost en automne.

Semer/Planter : semis en février/mars sous châssis ou tunnel, et de mai à octobre en pleine terre. Repiquez tous les 20 cm.

Soins : arrosez abondamment dès qu'il fait sec, binez régulièrement et ne laissez surtout pas les mauvaises herbes proliférer.

Protection : limaces et vers du sol peuvent anéantir la culture en une nuit. Disposez des granulés autour des plants repiqués.

Récolte : elle débute 5 semaines après les semis. Coupez à plusieurs reprises les feuilles extérieures, respectez le cœur.

Conseil : pour les cultures d'été, utilisez la variété 'Salad Bowl', qui monte beaucoup moins rapidement à graines que les autres.

Mâche
Valerianella locusta

Famille : *Valerianaceae*.

Particularités : les feuilles allongées ou rondes, de 5 à 10 cm de long, vert sombre, sont disposées en petites rosettes.

Durée de culture : la récolte s'effectue entre 4 et 6 mois après le semis.

Rotation : la mâche peut être cultivée avec succès après tous les légumes d'été.

Culture mixte : avec des oignons de printemps, les choux et les laitues d'hiver.

Sol : assez compact, ferme en surface, riche en humus. Ne bêchez pas avant le semis.

Semer/Planter : de fin juillet à octobre, semez en ligne ou à la volée. Éclaircissez à trois doigts (4/5 cm). Récoltez jusqu'en mars.

Soins : binage, sarclage, arrosage, paillage en hiver pour récolter même par temps de gel.

Protection : préférez les variétés récentes qui résistent mieux au mildiou comme 'Agathe', 'Jade', 'Trophy' ou 'Valgros'.

Récolte : dès que les feuilles sont bien développées, coupez les rosettes au ras du sol ou arrachez-les entièrement.

Conseil : attention, la mâche monte vite à graines par temps chaud et sec. Cultivez-la dans un lieu ombragé.

La mâche 'Jade' est excellente en automne et en hiver.

Pissenlit
Taraxacum officinale

Famille: *Asteraceae.*

Particularités: de larges rosettes formées de longues feuilles dentelées au goût un peu amer chez les variétés non améliorées.

Durée de culture: La plante (vivace) croît lentement ; comptez de 8 à 12 mois ou plus.

Rotation: faites suivre les pissenlits par un légume fruit ou des haricots.

Culture mixte: déconseillée, car la végétation du pissenlit est trop dense.

Sol: riche en azote, consistant, argileux, profond, car la racine est pivotante.

Semer/Planter: à partir de la mi-mars, directement en place, en lignes espacées de 25 cm. Éclaircissez le plant à 20 cm.

Soins: ne laissez pas fleurir les pissenlits, buttez pour faire blanchir les feuilles, ce qui va éliminer une partie de leur amertume.

Protection: gare aux limaces au départ de la croissance ; sinon, c'est une plante solide.

Récolte: coupez les rosettes au ras du sol de décembre à mars, lorsque le sol n'est pas gelé (ou couvrez la culture d'un voile).

Conseil: vous pouvez déterrer les pissenlits et les cultiver en cave comme les endives. Des feuilles toutes blanches (étiolées) se formeront en quelques semaines.

Chicorée sauvage
Cichorium intybus

Famille: *Asteraceae.*

Particularités: la rosette souple de feuilles ondulées brun-rouge, allongées ou

Chicorée sauvage 'Pain de sucre'.

rondes selon les variétés, donne une salade compacte, croquante, au goût amer. C'est une plante rustique, à conseiller au débutant.

Durée de culture: la croissance est lente – comptez entre 4 et 7 mois après le semis.

Rotation: la chicorée sauvage peut précéder les légumes précoces et primeurs, les pois, les brocolis. Il ne faut pas la planter avant d'autres composées (pissenlit, laitue...).

Culture mixte: avec chou, radis, betterave rouge. En cas de plantation hivernale, associez-lui des oignons de printemps.

Sol : riche en éléments nutritifs, frais, profond. Les terres sableuses ne conviennent pas. Apportez du compost avant la culture.

Semer/Planter : de début juin à mi-août selon la précocité des variétés. Éclaircissez les plants tous les 15 à 20 cm, lorsqu'ils mesurent de 3 à 5 cm de haut. Ne les repiquez pas, car les racines sont longues et pivotantes.

Soins : éliminez les mauvaises herbes, binez, arrosez abondamment par temps chaud. Mi-octobre, coupez les feuilles des variétés tardives à 5 cm du sol, couvrez-les d'un voile de forçage, récoltez au cours de l'hiver les feuilles tendres qui repoussent.

Protection : limaces, pucerons des racines, mulots peuvent sévir ; traitez en cas de nécessité avec les produits homologués.

Récolte : de mi-septembre à mars selon les variétés. Coupez les pommes bien formées selon les besoins. La coloration rouge est plus intense par temps froid. Paillez le sol pour permettre une récolte « tout temps ».

Conseil : soyez patient, les graines lèvent en 2 à 3 semaines seulement. Les variétés précoces ont besoin de 20 à 22 °C pour germer. Semez-les de préférence sous cloche ou en terrine à la maison.

Remarque : la chicorée « pain de sucre » appartient au même groupe de plantes, mais elle forme de longues salades à feuilles vertes. Sa culture est similaire. Afin d'éviter qu'elle ne monte trop, attendez fin juin pour la semer en pleine terre, en place. Récoltez à partir de fin septembre et jusqu'aux premières gelées, car elle est frileuse.

Épinard

Spinacia oleracea

Famille : *Amaranthaceae*.

Particularités : des rosettes denses, étalées, sont formées de feuilles vert foncé plus ou moins cloquées. Très rustique.

Durée de culture : de 45 à 60 jours environ.

Rotation : les épinards précoces avant les chou, tomate, poivron, pois, haricot et après les légumes récoltés en août et septembre (à l'exception des haricots et des pois).

Culture mixte : avec chou, navet, radis, pomme de terre ; l'épinard protège les cultures menacées par les altises.

Les épinards comptent parmi les légumes les plus faciles.

Sol : friable et fin, humifère, pas trop sableux.

Semer/Planter : semis précoce à partir de mars, en place. Semis d'automne d'août à octobre. Enterrez les graines de 2 cm. Éclaircissez tous les 15 cm.

Protection : attention au mildiou et aux limaces qui peuvent détruire la culture.

Récolte : au fur et à mesure des besoins, dès que les feuilles sont bien développées.

Conseil : échelonnez les semis par période de 15 jours à trois semaines.

Tétragone
Tetragonia tetragonioides

Famille : *Aizoaceae*.

Particularités : appelée aussi « épinard d'été » ou « épinard de Nouvelle-Zélande », cette plante rampante aux tiges très ramifiées, jusqu'à 1 m de long, porte des feuilles charnues. Elle ne monte pas à graines en été, mais elle craint le gel.

Durée de culture : la récolte débute environ 3 mois après le semis.

Rotation : cultivez la tétragone après les radis, tomate, aubergine ou cucurbitacées.

Culture mixte : à éviter, car la plante habille le sol de manière homogène.

Sol : plutôt calcaire, riche, frais et humifère.

Semer/Planter : à partir de mars sous abri ou à l'extérieur en mai en poquets de trois graines espacés de 60 cm en tous sens.

Soins : pincez les jeunes tiges pour qu'elles produisent de nombreuses ramifications.

Protection : surveillez les limaces qui se montrent redoutables avec les plantules dès la levée. Disposez obligtoirement des appâts.

Récolte : de fin juin aux gelées, coupez les feuilles, mais pas la pointe des pousses. La tétragone s'utilise comme l'épinard

Conseil : vous pouvez semer de la tétragone au pied des arbres fruitiers et la laisser pousser librement en couvre-sol.

La tétragone cornue pousse au ras du sol.

Les choux

En raison de leur diversité variétale unique dans le monde des légumes, les choux ont gagné du galon dans l'art culinaire et ne sont plus considérés aujourd'hui comme les « légumes du pauvre ». Bien préparés, ils sont délicieux et de nouvelles variétés viennent sans cesse s'adapter à l'évolution du goût des consommateurs. Et ce sont aussi des plantes superbes !

Autrefois, les choux passaient davantage pour un diurétique efficace que pour un aliment. En effet, toutes les espèces contiennent beaucoup de vitamines (C, B, E, K) et de nombreux minéraux : magnésium, potassium et soufre. C'est pourquoi il ne faut pas trop cuire les choux et même les consommer crus lorsque c'est possible (chou blanc, chou rouge, chou-fleur). Par ailleurs, les choux sont très peu caloriques (en moyenne 25 Kcal/100 g) et ils contiennent une bonne proportion de fibres, ce qui les rend très utiles dans les régimes hypocaloriques. Même s'il est déconseillé de cultiver des choux dans un sol trop fumé afin de ne pas altérer leur goût et leur digestibilité, la plupart sont des légumes exigeants qui réclament une bonne fertilisation pour bien se développer. Le sol sera enrichi à l'automne avec du compost et des algues. En

été des apports de purins de plantes, riches en azote, seront particulièrement appréciés.

Le chou vert à feuilles frisées est appelé « chou de Milan ».

Brocoli

Brassica oleracea var. italica

Famille : *Brassicaceae* (crucifères).

Particularités : au centre d'un bouquet de feuilles amples se forment une inflorescence compacte et crispée verte ou violette.

Durée de culture : la récolte a lieu entre 3 et 4 mois après la plantation.

Rotation : culture précédente – épinard, salade, carotte d'hiver ; culture suivante – pois, haricots nains, fèves.

Culture mixte : le brocoli est réputé comme étant un bon compagnon pour les concombres, dont il éloigne la mouche *(Bactrocera cucurbitae)*.

Sol : riche, frais, bien drainé, plutôt calcaire (chaulez si nécessaire).

Semer/Planter : semez en pépinière en avril sous verre, en mai/juin en pleine terre. Repiquez tous les 40 cm.

Soins : arrosez régulièrement. Dès que les fleurs apparaissent, apportez du purin d'orties et de consoude.

Protection : les ennemis sont les mêmes que pour le chou pommé *(p. 78)*.

Récolte : lorsque la tête est bien formée, commencez par couper la fleur centrale, puis les autres de la périphérie (jets).

Conseil : paillez le sol par temps très chaud et sec, avec de la paillette de chanvre.

Le brocoli 'Romanesco' s'adapte à tous les climats.

Le chou-fleur demande des arrosages copieux et fréquents.

Chou-fleur

Brassica oleracea var. botrytis

Famille : *Brassicaceae* (crucifères).

Particularités : la « fleur », blanche, est formée de bourgeons méristématiques serrés, au centre d'une couronne de feuilles.

Durée de culture : comptez pour la récolte entre 4 et 10 mois à partir du semis.

Rotation : culture précédente – haricot nain précoce, carotte à forcer ; culture suivante – poireau d'hiver, mâche.

Culture mixte : le chou-fleur est un bon compagnon pour les fève, betterave, céleri, camomille, aneth, hysope, menthe, capucine, oignon, origan, pomme de terre, sauge, romarin, fraise et tomate.

Sol : riche, frais, consistant, légèrement calcaire, profond, amendé en humus.

Semer/Planter : semez sous abri en février ou mars et plantez en avril sous tunnel. D'avril à juin semez en pleine terre, un mois après la levée, repiquez les jeunes plants entre 40 et 60 cm de distance.

Soins : maintenez le sol humide en été. Lorsque les fleurs se forment, repliez les feuilles par-dessus pour les ombrer et obtenir une belle tête bien blanche.

Protection : ennemis et maladies sont les mêmes que pour le chou pommé *(p. 78)*.

Récolte : coupez la pomme blanche lorsqu'elle est bien serrée et avant que les vraies fleurs (jaunes) ne s'épanouissent.

Conseil : il est plus facile d'acheter des jeunes plants que d'effectuer des semis surtout pour les cultures précoces.

Le chou de Bruxelles a meilleur goût (moins d'amertume) après avoir subi les premières gelées.

Chou de Bruxelles

B. oleracea var. gemmifera

Famille : *Brassicaceae* (crucifères).

Particularités : sur des tiges qui atteignent 1 m de haut, de minuscules petits choux se forment à l'aisselle des feuilles.

Durée de culture : la récolte a lieu entre 5 et 6 mois après le semis.

Rotation : culture précédente – pomme de terre, pois, salade, épinard ; culture suivante – légumes à forcer.

Bien qu'il soit rustique, le chou rouge devrait être récolté avant les premières gelées.

Choux pommés

B. oleracea var. capitata

Famille: *Brassicaceae* (crucifères).

Particularités: une rosette de feuilles amples se serre au centre pour former une pomme compacte. Les choux pommés regroupent les choux cabus (vert à feuille lisse), de Milan (vert à feuilles frisées), chou rouge et chou blanc.

Durée de culture: récolte après 4 à 9 mois selon les variétés.

Rotation: après le chou, ne cultivez pas de crucifères pendant trois ans. Mâche, épinard, tomate, courgette sont conseillés.

Culture mixte: en mélange avec céleri, épinard, salades, pois, betterave. À cultiver aussi près des tomates et des concombres.

Sol: très riche, plutôt calcaire, mais bien drainé. La présence de fumier frais dans le sol tend à dénaturer la saveur du chou.

Semer/Planter: semez les choux d'été et d'automne en février/mars sous abri ; la levée demande une semaine. Repiquez un mois plus tard, installez en place en avril. Semez les choux de printemps début septembre, hivernez le plant repiqué sous un tunnel et mettez en place début mars. Semez les choux d'hiver en pépinière d'avril à juin. Espacement : de 40 à 60 cm.

Soins: arrosez au pied, le sol ne doit pas sécher. Paillez. Apportez à 3 ou 4 reprises au cours de la croissance du purin d'ortie ou de consoude, ou bien un engrais liquide.

Protection: contre la hernie du chou, placez des algues compostées au fond

Culture mixte: comme pour le chou pommé *(voir ci-contre)*.

Sol: profond, fertile, humifère, de préférence calcaire et bien drainé.

Semer/Planter: semis d'avril (sous abri) à juin (en pleine terre) en pépinière. Repiquez tous les 50 à 60 cm un mois après la levée.

Soins: lorsque les premières pommes atteignent 1 cm, pincez la tige principale. Buttez la base des pieds. Laissez les feuilles sur les tiges pour protéger les petites pommes des fortes gelées hivernales.

Protection: voir chou pommé *(ci-contre)*.

Récolte: de préférence après une petite gelée pour éliminer l'amertume.

Conseil: épandez un peu de cendre de bois au pied, la potasse favorise la production.

du trou de plantation. Éloignez la piéride en plantant près des choux des plantes odorantes (céleri, fenouil, camomille, menthe, tomate).

Récolte : arrachez toute la plante avec la racine. Les variétés précoces peuvent être récoltées lorsque les pommes sont à peine formées. Les choux d'hiver sont mis en jauge, la tête orientée vers le Nord.

Conseil : n'utilisez jamais de moutarde comme engrais vert pour les planches sur lesquelles vous plantez les choux. C'est une crucifère, ce qui peut favoriser les maladies.

Chou frisé

Brassica oleracea var. acephala

Famille : *Brassicaceae* (crucifères).

Particularités : une plante très décorative par ses feuilles frisées ou découpées.

Durée de culture : la récolte a lieu après 3 à 5 mois selon les variétés.

Rotation : culture précédente – épinard, salades ; culture suivante – tomate, melon, concombre.

Culture mixte : avec haricot, pois, céleri, betterave rouge et à côté des tomates, concombres et alliacées (poireau, oignon) qui désorientent les piérides.

Sol : riche, profond, meuble, calcaire, bien drainé, amendé en matière organique.

Semer/Planter : semez de mars à juin en pépinière, repiquez en place tous les 60 cm, environ 45 jours après la levée.

Soins : arrosez, paillez, apportez un engrais liquide organique pendant la croissance.

Protection : voir chou pommé *(p. 78)*.

Récolte : coupez petit à petit les feuilles les plus basses, de préférence après le passage d'une petite gelée.

Conseil : consommez dans les trois jours pour conserver toutes les vitamines et les antioxydants ou congelez.

Le chou frisé se consomme surtout cru, effilé, en salade.

Chou chinois

Brassica rapa var. pekinensis, B. rapa var. chinensis

Famille : *Brassicaceae* (crucifères).

Particularités : ces variétés de choux frileux forment une rosette largement ouverte. Le pe-tsai a des feuilles gaufrées, le pak-choi, des feuilles lisses nervurées de blanc.

Durée de culture : la récolte s'effectue entre 6 et 10 semaines après le semis.

Rotation : culture précédente – carotte, salades, pois, haricot ; culture suivante – tomate, courgette, aubergine, poivron.

Culture mixte : associez des alliacées à tous les choux pour éloigner la piéride.

Sol : riche, humifère, bien drainé, mais assez consistant, avec un bon apport organique.

Semer/Planter : semez en place en juillet/août, enterrez à peine les graines. Éclaircissez les jeunes plants à 20 cm.

Soins : maintenez le sol humide par temps chaud. Binez et sarclez pour éviter la concurrence avec les mauvaises herbes.

Protection : les altises se montrent particulièrement redoutables. Traitez.

Récolte : sans attendre lorsque la rosette de feuilles est bien formée.

Conseil : il est prudent de prévoir un tunnel plastique pour protéger ce chou frileux au moment de la récolte toujours tardive.

Les deux sortes de choux chinois : Pe-tsai et Pak choi.

Oignons et poireaux

Possédant des vertus presque thérapeutiques, les légumes et plantes condimentaires de la famille des Alliacées – ail, ciboulette, échalote, oignon, poireau – doivent trouver une place de choix dans un potager. En outre, leur culture est très facile dans un sol sain.

Il y a encore peu de temps, les botanistes classaient tous les légumes bulbeux et les poireaux dans la famille des *Liliaceae*, ce qui en faisait des proches cousins du lis et de la tulipe. Depuis peu, une famille complète, les *Alliaceae*, a été créée pour accueillir toutes les plantes du genre *Allium* qui réunit aussi la ciboulette, la ciboule, les aulx d'ornement, les échalotes, etc. En établissant adroitement votre calendrier de plantation, vous pourrez récolter toute l'année des légumes de la famille des Alliacées : au printemps des oignons blancs et des poireaux baguette, en été les oignons de couleurs, l'ail et l'échalote, en automne et en hiver les poireaux. Les légumes et les plantes condimentaires à bulbes se conservent très bien, le plaisir de la consommation se prolonge sur de longues périodes (il suffit de les suspendre en tresses dans un endroit aéré).

Le poireau d'hiver peut rester à l'extérieur s'il a été butté.

Poireau
Allium porrum

Famille: *Alliaceae.*

Particularités: les feuilles plates, en forme de panache et enroulées à la base, forment une tige blanche appelée le fût.

Durée de culture: comptez de 4 à 5 mois pour le poireau d'été et jusqu'à 10 mois pour les variétés les plus tardives.

Rotation: culture précédente – salades, légumineuses; culture suivante – solanacées.

Culture mixte: avec céleri, carotte, tomate.

Sol: profond, très riche, assez consistant, mais ne retenant pas l'eau en hiver.

Semer/Planter: semez de mars à mai en pépinière à l'extérieur. Repiquez tous les 10 à 15 cm, en lignes distantes de 30 cm. Plantez assez profond (tout le fût doit être enterré).

Soins: deux ou trois apports d'engrais orgno-minéral pour légumes au cours de la saison.

Protection: la culture mixte avec les carottes permet d'éviter les attaques de la teigne du poireau (confusion olfactive).

Récolte: de préférence avant les premiers froids, les tissus étant alors plus tendres.

Conseil: fertilisez le sol avec un engrais complet après une culture de poireau.

Oignons variés
Allium cepa

Famille: *Alliaceae.*

Particularités: les bulbes denses, ronds ou ovales, blancs, jaunes ou rouges, développent de longues feuilles cylindriques et creuses à l'odeur fortement alliacée.

Durée de culture: pour les oignons multipliés par bulbes, de 5 à 6 mois; pour les oignons de semis jusqu'à 9 mois selon la variété.

Rotation: culture précédente – épinard, pois, haricot et surtout pas d'autres alliacées! Culture suivante – tomate, aubergine.

Culture mixte: avec carotte et salade.

Sol: chaud, profond, riche en humus. Les oignons cultivés dans un sol lourd et humide se conservent mal. Dans les sols sableux ajoutez compost, engrais organique et lithothamne avant de semer ou de planter. N'utilisez jamais de fumier frais.

Semer/Planter: plantez tous les 10 cm les petits bulbes d'oignons blancs en mars ou avril (lorsque les groseilles à maquereau forment leurs feuilles), en lignes distantes de 20 cm. Enterrez les bulbes, pointe vers le haut, à 3 cm de profondeur. Semez de fin février à avril sous tunnel, à 1 cm de profondeur. La germination peut demander deux semaines. Éclaircissez tous les 15 cm. Dans les régions au climat doux, semez de mi-août à mi-septembre, pour une récolte précoce au printemps suivant.

Les oignons réclament un sol meuble, riche et drainé, mais qui ne renferme surtout pas de fumier frais.

Les feuilles de la ciboule ont un goût très prononcé

Soins : binez pour que le sol ne sèche pas. Arrosez abondamment, mais sans détremper, au moment du grossissement du bulbe.

Protection : pulvérisez de la bouillie bordelaise pour éviter le mildiou. Plantez du persil et des carottes entre les lignes pour tenter d'éloigner la mouche de l'oignon.

Récolte : lorsque les feuilles jaunissent, couchez-les sur le sol et arrachez les oignons à la fourche bêche une semaine plus tard. Laissez-les ressuyer quelques jours sur le sol par temps ensoleillé, puis entreposez-les au sec, après les avoir nettoyés.

Conseil : plantez des bulbes d'oignons en août-septembre, afin de disposer tout l'hiver de pousses vertes aromatiques, qui remplaceront la ciboulette. Achetez de la semence certifiée pour éviter les virus.

Ciboule et ciboulette
Allium fistulosum
Allium schoenoprasum
Famille : *Alliaceae.*

Particularités : ces vivaces rustiques forment de longues feuilles cylindriques aromatiques. La ciboule, plus grande et plus épaisse, donne des fleurs blanches ; elles sont roses chez la ciboulette.

Durée de culture : de 1 à 4 ans.

Rotation : laissez la plante en place plusieurs années si elle se plaît bien.

Culture mixte : quelques radis et carottes en intercalaire au printemps.

Sol : profond, humifère, restant toujours frais mais drainé. Amendez avec du sable.

Semer/Planter : semez en place de mars à mai. Éclaircissez entre 15 et 20 cm. Divisez les touffes tous les 3 ou 4 ans.

Soins : apportez de l'engrais organique au printemps, mais sans excès.

Protection : pas d'ennemis spécifique à craindre, hormis la mouche de l'oignon.

Récolte : toute l'année au fur et à mesure des besoins. Posez une cloche de protection en hiver pour prolonger la cueillette.

Conseil : ciboule et ciboulette réussissent fort bien dans un pot, qu'il est possible de conserver en hiver dans la cuisine.

Échalote

Allium ascalonicum

Famille : *Alliaceae*.

Particularités : la touffe de feuilles linéaires, creuses, forme plusieurs petits bulbes (caïeux) allongés au niveau du sol.

Durée de culture : la récolte s'effectue entre 5 et 7 mois après la plantation.

Rotation : culture précédente – pois, fève, haricot ; culture suivante – tomate, aubergine, piment.

Culture mixte : avec les fraises, salades, carottes. Les échalotes et toutes les alliacées sont recommandées dans les vergers de pêchers pour prévenir la cloque.

Sol : léger, pas trop riche, sans ajout récent de fumier frais et de matières organiques qui apportent de l'azote, nuisible à la bonne conservation des bulbes après la récolte.

Semer/Planter : plantez les bulbes en mars, tous les 15 à 20 cm, à 2 ou 3 cm de profondeur. Dans les régions à climat doux, vous pouvez planter dès septembre, à condition que le sol soit très drainant.

Soin : sarclez les mauvaises herbes et arrosez au besoin pendant la croissance.

Protection : comme pour les oignons *(p. 82)*.

Récolte : dans la seconde quinzaine de juillet lorsque les feuilles jaunissent. Après ressuyage, stockez au frais et au sec.

Conseil : les feuilles de l'échalote sont aromatiques et peuvent être utilisées fraîches comme celles de la ciboule. Évitez la présence proche d'absinthe qui semble perturber le bon développement des échalotes et autres alliacées.

Les échalotes développent une saveur plus raffinée que celle de l'oignon, délicieuse dans les vinaigrettes.

Racines et tubercules

Croquantes, charnues, souvent riches en protéines, mais assez peu caloriques, les racines ont longtemps constitué la base de l'alimentation humaine. On redécouvre leurs vertus aujourd'hui. Riches en sucres lents (amidon), les tubercules sont des organes de réserve souterrains développés par les plantes pour faire face à des conditions climatiques difficiles. Ils constituent des aliments énergétiques de première importance.

Les ancêtres sauvages des légumes contemporains étaient loin d'avoir les mêmes qualités gustatives. Les racines étaient peu charnues, souvent dures sous la dent et fortement amères. Depuis des siècles, ces plantes potagères sont sélectionnées et croisées dans le but d'obtenir des tubercules et des racines de plus en plus qualitatifs, tant du point de vue productif que gustatif. Les légumes dont les organes souterrains sont consommés, viennent mieux dans des sols profonds, humifères, mais sans fumier frais qui favorise le développement des pourritures. Vous trouverez aussi dans ce chapitre d'autres légumes formant des organes de réserve : le céleri dans le pétiole de ses feuilles, le fenouil dans ses tiges renflées et l'artichaut dans le réceptacle charnu de ses boutons floraux.

Radis (radis rose, radis de tous les mois)

Raphanus sativus

Famille : *Brassicaceae*.

Particularités : cette petite bisannuelle forme une racine tubéreuse ; ses feuilles tendres et velues sont comestibles.

Durée de culture : récolte entre 4 et 8 semaines après le semis.

Rotation : culture précédente – haricot, concombre, céleri, tomate ; culture suivante – tout excepté des crucifères (navet, chou).

Culture mixte : c'est la culture intercalaire idéale qui réussit bien avec tout.

Sol : fin, sableux, sans cailloux, plutôt humifère et restant toujours frais.

Semer/Planter: semez en place, tous les 15 jours de début mars à septembre, à 1 cm de profondeur, en lignes espacées de 15 cm ou à la volée. Éclaircissez à 3/4 cm.

Soins: arrosez régulièrement pour éviter toute sécheresse, désherbez avec soin.

Protection: pour éviter les altises, plantez de la menthe à proximité des radis.

Récolte: de 20 à 30 jours après les semis, récoltez en continu les racines bien formées. Les radis jeunes sont plus savoureux.

Conseil: tentez une culture en pot de petits radis ronds (bien éclaircir le semis).

Carotte
Daucus carota

Famille: *Apiaceae* (ombellifères).

Particularités: cette bisannuelle rustique forme un bouquet de feuilles aromatiques très découpées et des racines longues ou courtes. L'écorce et la chair orange entourent un « cœur » vert à la saveur forte, que la sélection horticole tend à éliminer.

Durée de culture: en moyenne, entre 8 et 11 semaines après le semis.

Rotation: culture précédente – épinard, salade, chou-rave, pois précoce ; culture suivante – haricot, salade, poirée (bette).

Culture mixte avec: poireau, ail, oignon, poirée. Bon voisinage avec tomate, aubergine et pois. Attention, la présence de persil, panais et céleri favorise les attaques de la redoutable mouche de la carotte.

Sol: profond, léger, riche. Les sols sableux et humifères sont parfaits. Apportez du compost

Des carottes bien droites se forment dans un sol léger profond et sableux, exempt de cailloux.

ou un fertilisant organique avant de semer.

Semer/Planter: semez dès février sous tunnel ou partir d'avril en pleine terre, en lignes espacées de 30 cm. Éclaircissez à 10 cm. Pour cette espèce, les graines enrobées sont très pratiques, de même que les graines en ruban. La levée se produit en 6 à 8 jours. À partir d'août, les semis sont effectués pour des récoltes de printemps.

Soins: arrosez régulièrement, binez et supprimez aussi tôt que possible les mauvaises herbes. Un léger paillis est très valable lors des étés chauds et secs.

Protection : semer très tôt (mars) ou tard (juin) diminue les risques d'attaques de la mouche de la carotte, dont les larves rongent les racines. Renforcez les protections en couvrant les plantes avec un voile de forçage ou un filet très fin. Arrosez après l'éclaircissage, afin que la mouche de la carotte ne ponde pas d'œufs dans le sol ameubli. Contre les nématodes, plantez des œillets d'Inde. N'employez pas de fumier frais, car il augmente les risques d'attaque parasitaire. Il existe aussi des variétés résistantes à la mouche comme 'Sytan'.

Récolte : les carottes précoces après 3 ou 4 mois (au plus tôt fin mai), les carottes estivales après 4 ou 5 mois. Laissez les carottes tardives le plus longtemps possible dans le sol, cela améliore leur goût. Elles peuvent être conservées dans le sable à peine humide durant plusieurs mois.

Conseil : arrachez les carottes de préférence par temps sec, car elles se conservent mieux. Il est bon de les laisser ressuyer quelques jours en plein air sur le sol, à l'ombre.

Betterave
Beta vulgaris

Famille : *Amaranthaceae* (chénopodiacées).
Particularités : une rosette de feuilles rouge-vert émerge d'une racine tubéreuse rouge ou jaune, ronde ou cylindrique.

La betterave rouge est riche en vitamines et en sucres.

Durée de culture : la récolte a lieu environ 5 mois après le semis.
Rotation : culture précédente : salades, aubergine, tournesol, puis choux.
Culture mixte : avec salades et haricots.
Sol : riche, profond, perméable, sans cailloux.
Semer/Planter : semez en place à partir d'avril, en lignes distantes de 30 cm. Éclaircissez à 10 cm. Repiquage possible.
Soins : arrosez durant la période de formation des grosses racines.
Protection : en cas d'attaque importante de pucerons, pulvérisez de l'eau savonneuse. Ne plantez pas trop serré en raison des risques de mildiou et de rouille.
Récolte : au fur et à mesure des besoins, lorsque les racines sont bien formées.
Conseil : une fois les feuilles coupées, les betteraves d'hiver se conservent longtemps dans le sable en cave, dans l'obscurité.

Céleri-rave

Apium graveolens var. rapaceum

Famille : *Apiaceae* (ombellifères).

Particularités : un tubercule brun ou verdâtre émerge en partie du sol. Il est couronné de longues feuilles découpées.

Durée de culture : la récolte s'effectue entre 5 et 6 mois après la plantation.

Rotation : culture précédente – épinard, chou pommé, salades ; suivante – tomate, haricot.

Culture mixte : avec les poireaux, haricots nains, choux pommés, choux de Bruxelles.

Sol : profond, riche, humifère, drainé. Apportez du compost et un fertilisant organique en automne. Si vous n'utilisez que du compost, incorporez au sol de l'engrais organo-minéral avant de semer.

Semer/Planter : de février à avril, semez sous abri à 15 °C. Repiquez lorsque le plant a développé deux feuilles, puis une nouvelle fois au stade de cinq feuilles. Plantez à partir de mi-mai, à 40 cm en tous sens.

Soin : arrosez. Lorsque la racine grossit, dégagez la terre tout autour sur 2 cm.

Protection : contre la mouche du céleri, posez des feuilles de tomates entre les plants. Attention aussi aux limaces !

Récolte : avant les premiers gels, coupez les tiges à 5 cm du tubercule.

Conseil : les feuilles de céleri constituent un aromate pour les soupes et les ragoûts, mais n'en coupez pas trop, sinon les tubercules resteront petits. En raison des exigences au niveau du semis et du repiquage, les débutants achèteront plutôt des plants.

Le céleri rave est un légume parfumé, très peu calorique.

Céleri branche (céleri à côtes)

Apium graveolens var. dulce

Famille : *Apiaceae* (ombellifères).

Particularités : la touffe de feuilles vert clair aux larges pétioles charnus ne forme pas de tubercule. C'est une plante bisannuelle.

Durée de culture : la récolte a lieu entre 5 et 6 mois après le semis.

Rotation : idem au céleri-rave (ci-contre).

Culture mixte : impossible, la plante est trop touffue et aussi trop gourmande !

Sol : pas trop calcaire, riche, humifère, frais.

Semer/Planter : semez de février à avril sous abri (levée en 2 à 3 semaines), repiquez en

godets de tourbe. Plantez à 40 cm dès
que les gelées ne sont plus à craindre.

Soin : arrosez régulièrement. Buttez les
plantes 6 semaines avant la récolte.
Liez les tiges et enveloppez-les d'un film
de plastique noir pour les faire blanchir.

Protection : comme le céleri-rave *(p. 88)*.

Récolte : arrachez les plantes avant les
premiers gels, sinon le pétiole durcit.

Conseil : le céleri branche se conserve bien
planté dans du sable en cave.

Fenouil bulbeux
Foeniculum vulgare

Famille : *Apiaceae* (ombellifères).

Particularités : les tiges aux feuilles très
fines forment à la base une côte aplatie
qui donne l'impression d'un bulbe.

Durée de culture : la récolte s'effectue entre
4 et 5 mois après la plantation.

Rotation : culture précédente – épinard,
salade, chou-rave ; culture suivante – betterave.

Culture mixte : avec chicorée frisée, endive,
laitue, fève, haricot. Éloignez tomate, piment
et fraisier dont le goût peut être altéré.

Sol : léger, profond, riche, frais, mais bien
drainé, sans trop de matière organique.

Semer/Planter : semez de fin mars à juillet,
sous abri ou en place, en lignes distantes de
40 cm. Éclaircissez à 20 cm.

Soin : arrosez bien. Trois semaines après
l'éclaircissage, fertilisez avec un engrais peu
azoté. Buttez 15 jours avant la récolte.

Protection : traitez à la bouillie bordelaise
contre le mildiou par temps humide.

*Le fenouil réussit idéalement sous le climat du Midi,
car il apprécie les insolations intenses et la chaleur.*

Récolte : lorsque les pommes atteignent
la grosseur d'un poing, soit au plus tard mi-
octobre, toujours avant la première gelée.

Conseil : utilisez les feuilles hachées comme
une herbe aromatique dans les sauces et les
salades. On peut aussi les faire infuser.

Pomme de terre
Solanum tuberosum

Famille : *Solanaceae*.

Particularités : le buisson feuillu, de 50 cm de haut, porte des feuilles gaufrées et des fleurs blanches ou violettes. Il produit des tubercules bruns, jaunes ou rougeâtres.

Durée de culture : 3 mois pour les pommes de terre précoces, de 4 à 5 mois pour les variétés tardives.

Rotation : culture suivante – chou d'hiver, épinard, haricot nain, chicorée frisée ; culture précédente – salade, carotte, céleri.

Culture mixte : avec : ail, chou, capucine.

Sol : sableux et humifère, les récoltes sont misérables dans les sols lourds et humides. N'utilisez pas de fumier frais.

Semer/Planter : plantez les tubercules de semences à 10 cm de profondeur, lorsque la température du sol atteint de 7 à 10 °C (mi-avril). Espacez les variétés précoces de 30 cm, les tardives de 40 cm.

Soins : buttez lorsque les plantes atteignent 15 cm de haut, puis une seconde fois un mois plus tard. Cela évite que les tubercules se forment trop près de la surface, ce qui leur ferait prendre une couleur verte les rendant inconsommables (toxiques). Arrosez dès qu'il ne pleut pas durant une bonne semaine.

Protection : contre les nématodes, plantez des œillets d'Inde. En cas d'attaque de doryphores, ramassez adultes et larves, puis traitez avec un insecticide du commerce. Des traitements préventifs contre le mildiou de la pomme de terre sont obligatoires par temps humide.

Récolte : Juste avant que ne s'épanouissent les fleurs. Pour les variétés tardives, on peut attendre que le feuillage jaunisse. Utilisez une fourche bêche ou une houe pour mettre à jour les tubercules. Laissez-les ressuyer sur le sol, puis entreposez-les dans un local frais et obscur, pas trop humide.

Conseil : les pommes de terre font partie des plantes nettoyantes qui contribuent à éliminer naturellement la flore sauvage. Lorsque vous commencez un potager, plantez toute la surface avec des pommes de terre durant toute une année.

La pomme de terre produit de 300 g à 1 kg par pied.

Salsifis et scorsonère

Tragopogon porrifolius, Scorsonera hispanica

Famille : *Asteraceae* (composées).

Particularités : la souche vivace forme une rosette de feuilles étroites, produite sur de longues racines. Les racines sont blanches chez le salsifis, noires chez la scorsonère.

Durée de culture : la récolte intervient entre 7 et 10 mois après la plantation.

Rotation : culture précédente – salades, haricot, choux ; culture suivante – épinard.

Culture mixte : rare, mais possible avec salades, poireau, radis, chou-rave.

Sol : très profond, sableux, riche en éléments nutritifs, pas trop pierreux.

Semer/Planter : semez de mars à mai en place, en lignes distantes de 25 cm. Éclaircissez à 10 cm.

Soins : désherbez soigneusement, arrosez si l'été est chaud et sec.

Protection : ne les plantez pas après les Solanacées, car il y a des risques de nématodes. Attention aux campagnols.

Récolte : d'octobre jusqu'au printemps suivant, arrachez avec précaution les racines avec une fourche bêche.

Conseil : protégez le sol en hiver par une couche de paille pour éviter qu'il gèle.

Artichaut

Cynara scolymus

Famille : *Asteraceae* (composées).

Particularités : cette grande plante vivace au feuillage persistant joliment découpé, atteint 1,40 m de haut. On consomme le réceptacle floral et la base charnue des bractées accompagnant les boutons floraux.

Durée de culture : 3 ou 4 ans.

Rotation : impossible, la plante est sédentaire.

Culture mixte : difficile, car les feuilles sont amples. Associer avec des graminées.

Sol : profond, frais, bien drainé, enrichi de fumier décomposé lors de la planttion.

Semer/Planter : après les derniers gels, plantez les œilletons en place tous les 1,50 m de distance environ.

Soin : toutes les 4 semaines, donnez de l'engrais organo-minéral. Ne laissez que 6 à 8 inflorescences par plante.

Protection : traitez les pucerons et l'oïdium.

Récolte : de juillet à septembre, cueillez les capitules encore fermés avec environ 15 cm de tige pour une meilleure tenue.

Conseil : en automne, buttez le pied avec de la terre légère et attachez les feuilles.

Du fait de leur aspect graphique, les artichauts ont aussi leur place dans le jardin d'agrément.

Index

Crédits photographiques

Pour le placement des photographies : b = bas ; h = haut ; d = droite ; g = gauche ; c = centre.
Les photographies suivantes sont de l'agence MAP/Mise au Point :
D. Bernardin : 43, 47 ; S. Bonneau : 43 ; A. Descat : 21, 42, 47, 58, 64, 66, 69, 71, 72, 73, 76g, 91 ; F. Didillon : 19g, 43, 54, 65, 75, 77, 81, 82, 83, 84, 88, 89 ; F. Marre : 19d, 61 ; N. et P. Mioulane : 6, 8, 11, 17d, 19c, 20, 22, 25, 29, 30, 32, 34hd et bd, 44 h, 46, 48, 49, 53, 56, 60, 62, 67, 74, 76d, 78, 79, 80, 90, 92 ; Noun : 15, 16, 17g, 27, 34hg, 37, 41, 43, 44b, 45, 63, 70, 86, 87 ; Noun et F. Didillon : 13 ; Noun et Gaëlle : 34bg, 51 ; F. Strauss : 39, 57, 59
p. 2 : Fotolia © gryth
P. 5 : Fotolia © Laurent Hamels
P. 50 : Fotolia © Thieury

Direction : Catherine Saunier-Talec
Édition : Anne Le Meur
Traduction : Florence Sénès
Conception graphique et mise en page :

Photographie de couverture :
Gilles Jacob
(stylisme : Le Bureau des Affaires Graphiques)
Fabrication : Amélie Latsch et Francis Verdelet

L'éditeur remercie Laura Fidler pour son aide précieuse.

Dépôt légal : février 2013
23-55-1113-02-2
ISBN : 978-2-01-231113-8
Achevé d'imprimer en Fevrier 2013 par Castelli Bolis Poligrafiche (Italie).

Mini guides Hachette

Entretenez votre jardin au quotidien avec l'application iPhone **Guide du Jardin !** Retrouvez :

- **un calendrier** des gestes du jardinage
- **une sélection des meilleurs** pépiniéristes géolocalisés
- **un glossaire** des principaux termes à connaître pour parler de jardinage
- **une base complète de 650 plantes** avec photos